o POLÍTICO

UMBERTO FABBRI

PELO ESPÍRITO
ADALBERTO GÓRIA

O POLÍTICO

CorreioFraterno

© 2017 Umberto Fabbri

Editora Espírita Correio Fraterno
Av. Humberto de Alencar Castelo Branco, 2955
CEP 09851-000 – São Bernardo do Campo – SP
Telefone: 11 4109-2939
correiofraterno@correiofraterno.com.br
www.correiofraterno.com.br

Vinculada ao  www.laremmanuel.org.br

1ª edição – Agosto de 2017
Do 1º ao 3.000º exemplar

A reprodução parcial ou total desta obra, por qualquer meio, somente será permitida com a autorização por escrito da editora.
(Lei nº 9.610 de 19.02.1998)

Impresso no Brasil
Presita en Brazilo – Printed in Brazil

COORDENAÇÃO EDITORIAL
Cristian Fernandes

REVISÃO
Cássia Anselmo e Gisele Montilha

CAPA E PROJETO GRÁFICO DE MIOLO
André Stenico

CATALOGAÇÃO ELABORADA NA EDITORA

Adalberto Gória (espírito)
    O político / Adalberto Gória (espírito); psicografia de Umberto Fabbri. – 1ª ed. – São Bernardo do Campo, SP : Correio Fraterno, 2017.
    176 p.

    ISBN 978-85-98563-99-2

1. Romance mediúnico. 2. Espiritismo. 3. Obsessão. 4. Redenção. 5. Política. 6. Política – bastidores. I. Fabbri, Umberto. II. Título.

CDD 133.93

SUMÁRIO

Introdução 9
Simples assim! 11
Ideologia barata 17
Erros acumulados 23
O político 27
Delírios do poder 31
Falso moralismo 35
Cidadão responsável 39
Os fins e os meios 43
A melhor medida 49
Tentativa frustrada 55
O pacto 59
O ator das trevas 63
O conquistador 69
Nobreza corrompida 73

Orientador mercenário 77
Os encantos da víbora 81
Crer falsamente 85
Acerto de contas 89
O resgate do inferno 93
Atitudes arrogantes 99
Sublime despertar 103
Os benefícios do perdão 111
Manter a esperança 117
Abençoada oportunidade 123
O faxineiro 129
A mensagem 135
Saudável recomendação 141
Exercício do perdão 145
Atitude inesperada 151
Refazendo caminhos 157
Esclarecimentos iluminados 163
Redenção 167

INTRODUÇÃO

Na proposta de trabalho singelo apresentada aos nossos irmãos que experienciam mais uma etapa reencarnatória, buscamos aqueles exemplos do nosso cotidiano que sirvam de alerta para a necessidade de todos nós, tarefeiros da última hora, reformularmos nossos propósitos, garantindo que a posição regenerativa que estamos iniciando no planeta possa se solidificar em menor tempo possível. São casos nos quais qualquer um de nós poderia estar envolvido, a despeito dos acertos e equívocos naturais dos espíritos aqui retratados, que estão buscando o caminho da evolução segura, ou seja, o de evangelizar-se com Jesus.

Não faz muito, fomos procurados pelo caro irmão Adalberto Gória – nome fictício visando a preservar a sua identidade – que nos solicitou a possibilidade de apresentarmos alguns fatos da sua última existência no planeta. Disse-me ele:

– Geraldo, você costuma trabalhar com alguns grupos de psicógrafos na Terra. Como nunca fui muito dado à escrita, porque o meu ponto forte sempre foi a oratória, gostaria, se possível, que você contasse parte da minha história aos irmãos que, presentemente, mourejam no corpo de carne. Posso, se assim lhe aprouver, destacar os principais pontos da minha vida, consideradas por muitos como de sucesso integral, desde os meus primeiros anos de existência até o início de minha exitosa carreira na política, incluindo minhas experiências pós-existencial, uma vez que sei, por constatação, que ninguém morre.

E continuou:

– Desejo, com o meu relato despretensioso, alertar alguns irmãos (mesmo que seja apenas um) sobre a necessidade de aplicar os 'dons', que o Senhor nos concede, de forma objetiva e benéfica para todos aqueles com quem partilhamos a jornada terrestre, direta ou indiretamente. Minha narrativa está longe de ser moralista, até porque, de minha parte, como espírito falível que sou, estou desclassificado para julgar quem quer que seja – finalizou modestamente.

Essas foram, pois, as palavras que o caro Adalberto me dirigiu, solicitando que eu as registrasse para o amigo leitor tal qual foram apresentadas quando da minha primeira entrevista.

É assim que deixo em suas mãos este livro, caro leitor, esperando que seja ele de alguma utilidade para as suas reflexões, tal como foram úteis para a minha própria condição de espírito em aprendizado.

GERALDO CAMPOS

1
SIMPLES ASSIM!

Nasci em uma pequena cidade do interior de um estado brasileiro onde o desenvolvimento, de forma geral, estava próximo do sofrível naqueles anos difíceis de alta inflação, dificultando sobremaneira a vida das pessoas.

Minha família era de classe média, proprietária de um pequeno mercado administrado pelo meu pai, o que garantia um rendimento razoável para o sustento da casa.

Minha mãe, uma senhora muito zelosa, estava voltada exclusivamente para o lar e para a educação dos filhos, eu e meu irmão mais velho, com a diferença de um ano e meio apenas.

Nossa cidade natal, de maneira geral, não oferecia grandes oportunidades de diversão. Apenas um cinema funcionava nos finais de semana, com algumas sessões aos sábados e domingos à noite e uma matinê às quatorze horas no domingo. Muitas vezes, apresentava-se um filme infantil que se repetia por mais de duas semanas, revelando a dificuldade de receberem esse tipo de material na cidade.

Restavam-nos os jogos e as brincadeiras com os amigos na rua onde morávamos, que era transformada em verdadeiro *playground*, em virtude do quase inexistente tráfego de veículos. Durante a semana, procurávamos, desde muito pequenos, auxiliar meu pai depois do horário escolar, tratando da limpeza e da organização do mercado. Aliás, do meu genitor, homem sério e compenetrado no trabalho, ouvíamos sempre as recomendações relativas à nossa postura na preservação da honra e da honestidade, salvaguardando a herança moral de nossa família, que sempre fora respeitada na comunidade. Esse era sempre um ponto que ele reforçava, por vezes de maneira enfadonha. Lembro-me bem de suas palavras:

– A única herança que meus pais me deixaram – que Deus os tenha! – foi a responsabilidade de trabalhar duro e de forma honesta. Sempre diziam que o caráter de um homem não tem preço e que a honradez deveria ser a minha bandeira.

Essa frase era colocada todas as vezes que nos reuníamos para o almoço, porque residíamos na parte de trás do nosso comércio. Meu pai parecia ter intuição ou inspiração do Alto, não saberia dizer ao certo. Talvez de alguma forma percebesse as minhas más tendências. Enfim, parece que os pais conhecem os filhos por intrincados mecanismos da intuição e que muitos deles têm dons premonitórios a respeito dos seus rebentos. Em função disso é que insistem em repetir determinados conceitos, por prevenção ou por receio de que os herdeiros não venham a se tornar um problema para eles mesmos, com extensão para a sociedade como um todo. Hoje, mais consciente, sei, por experiência, que é exatamente por isso que a educação é de responsabilidade dos genitores, principalmente na fase da primeira infância.

Se eu vivenciasse os conceitos educacionais dos meus genitores tal qual fora experienciado por eles, claro que, guardadas as devidas proporções do tempo em que eu me encontrava e com quem me relacionava, tanto em minha mocidade quanto em minha madureza, eu teria, sem sombra de dúvidas, evitado uma série de dissabores e responsabilidades que fui assumindo, motivado por um egoísmo atroz e um orgulho que fariam inveja aos grandes imperadores da História. Mas, durante o tempo em que eu estive debaixo dos olhos deles, fui relativamente contido em meus arroubos de querer ser o senhor do mundo, embalado que estava pela minha mediocridade.

O fato é que residimos, eu e meu irmão, com os nossos 'velhos' até a idade propícia para cursarmos a universidade, que se localizava na capital do estado.

Meu irmão, Juvenal, seguiu à frente, por estar adiantado em uma série; no ano seguinte, me juntei a ele. Residíamos em uma pensão para moços, tudo a princípio custeado com o sacrifício dos meus pais, até que conseguimos um emprego durante o dia, permitindo--nos estudar à noite.

Meu sonho era cursar a faculdade de direito para me tornar um doutor. Sentia correr em minhas veias o sangue de um líder nato. Não só em nossas brincadeiras infantis, mas também nas atividades escolares, sempre me colocava à frente para capitanear qualquer evento, desde as equipes dentro das salas de aula até os alunos de outras salas que eram reunidos para as comemorações de praxe. Dentro ou fora da escola, enfim, eu era um dos principais representantes do grupo.

Meu irmão, sempre mais acanhado, costumava ficar na retaguarda; mas, muitas vezes, quando eu me excedia em determinados posicionamentos, era dele a voz de alerta, chamando-me para a realidade. Muitas vezes discutíamos acaloradamente a respeito das minhas ideias, que não necessariamente respeitavam a ética. Lembro-me de seus repetidos avisos:

– Adalberto, vê lá o que você vai fazer, porque nossas atitudes fora de casa poderão trazer aborrecimentos para o papai por destoar dos padrões com os quais ele foi educado.

Eu geralmente respondia:

– O velho foi educado com conceitos antigos, quando tudo era levado a ferro e fogo, sem que certos 'arranjos' pudessem ser considerados naturais. Hoje o mundo está diferente, meu irmão; se quisermos nos sobressair, precisamos nos adaptar.

No fim, Juvenal argumentava e eu me dava por vencido, até pela situação em si.

– Você pode ter razão – dizia ele –, quanto aos excessos de nossos avós na condução da educação dos nossos pais. Realmente os tempos eram outros e as dificuldades se apresentavam nas situações mais corriqueiras; porém, somos completamente dependentes deles e, enquanto isso durar, temos a responsabilidade de obedecer às regras que são colocadas em nosso lar. Quando estivermos vivendo por nossa conta, poderemos decidir como tratar dos nossos interesses de outra forma. Até isso acontecer, teremos de aceitar, sim, o que nos é proposto. Simples assim!

2
IDEOLOGIA BARATA

SEM CONSIDERAR AS questões relativas ao espírito, tenho para mim que os geneticistas de plantão, na minha época, teriam muito trabalho para explicar as diferenças entre mim e o Juvenal. Filhos do mesmo casal e educados com idênticos princípios, tão logo nos colocamos para fora de casa em direção à universidade, ficou muito claro para mim a diferença dos nossos objetivos.

Juvenal, como já disse, mais recatado, aderiu rapidamente à relação com colegas estudiosos e focados no desenvolvimento intelectual, visando a alcançarem resultados que os diferenciassem no mercado de trabalho após a formatura.

No meu caso, como calouro, e por minhas más tendências (na verdade contidas, por certo receio da reação do meu pai), fui atraído para a companhia dos alunos mais politizados. Uma rapaziada que procurava mudar o mundo à sua maneira e que envolvia os demais com discursos inflamados, chegando a impressionar os mais incautos devido à pouca idade dos integrantes do grupo. Com efeito, muito ao estilo ditatorial, oradores bem preparados sugeriam igualdade em belos discursos, desde que os interesses deles não fossem alterados e a vida nababesca que levavam continuasse intocada.

Mas, à parte disso, respirávamos um clima de ideologia em que o fim justificava os meios; portanto, se necessário fosse, aqueles que se opusessem, deveriam ser, obviamente, eliminados.

Desse modo, certos líderes nos empolgavam pelas atitudes enérgicas que acreditávamos adequadas, mesmo que se mostrassem cruéis e desrespeitosas ao direito comum do ser humano, que é o da liberdade de expressão. Todavia, na opinião do grupo ao qual me filiei, costumávamos nos referir às atitudes violentas desses mandatários como sendo algo necessário, tal como uma cirurgia de amputação de membros, os quais, uma vez doentes, prejudicam o corpo como um todo.

Meu irmão se preocupava com a minha displicência em relação aos estudos, bem como com o meu comportamento revoltado contra o *status quo*. Algumas vezes, ameaçou-me dizendo que acabaria informando ao 'velho' sobre a minha conduta, que se tornava cada vez mais apaixonada e entrosada com facções políticas de extrema esquerda. Caso ele tomasse essa atitude, o dinheiro que nos sustentava, por não termos um trabalho cuja remuneração cobrisse todas as despesas, poderia ser comprometido, principalmente no meu caso.

No fim, eu era o revolucionário pregando igualdade de direitos, mas sendo sustentado pelo papai, procurando ao máximo estender o período das mesadas para ter mais tempo para me envolver com o pessoal que, aliás, começamos a chamar de 'camaradas'.

Não demorou para iniciarmos lutas corporais com alunos de outra universidade. Nossos 'inimigos' estimulavam as ideologias capitalistas, as quais nós odiávamos, pelo menos de fachada, porque a maioria esmagadora dos integrantes do nosso grupo era também sustentada por seus pais capitalistas. Porém, isso era um pequeno detalhe que realmente não importava, pois, afinal de contas, nós tínhamos vindo ao mundo sem ter pedido; então, era obrigação dos genitores nos sustentarem.

Eu evitava ao máximo o contato com o 'velho'. Em feriados mais prolongados e quando chegava a época das férias, eu costumava dar um jeito de arrumar algum tipo de ocupação a fim de não passar mais de uma semana na casa dos meus pais.

Juvenal, aborrecido, e não suportando mais o que assistia, decidiu cumprir suas ameaças. Em um desses feriados mais prolongados, não tive como me escusar da ida à casa paterna. Exatamente no primeiro almoço que tivemos em família, quando todos já nos encontrávamos reunidos à mesa, meu irmão informou-os sobre a minha conduta, evidentemente debaixo dos meus protestos.

Fiz questão de afirmar que os relatos eram exagerados, nascidos de uma visão distorcida da minha pessoa e das propostas de vida que eu procurava abraçar. Contudo, as minhas ponderações foram em vão. Ao final, a revelação de Juvenal foi como uma bomba explodindo no seio da família. Minha mãe não conseguiu conter a avalanche de lágrimas, enquanto meu pai surpreendeu-me com uma atitude inesperada. Vi que seus olhos ficaram mareados e ele, então, cabisbaixo me disse:

– Saiba que eu sempre acreditei muito em você, Adalberto, apesar de sentir, no meu íntimo, que suas tendências poderiam desviá-lo do caminho reto, independentemente da educação que lhe foi dada. Mas eu lhe peço, em nome do Criador de nossas vidas, que você não decepcione a si mesmo. Não se preocupe conosco, seus pais, porque nós nunca nos decepcionaremos, uma vez que amamos muito você; contudo, pelo menos uma vez, reflita no que estou dizendo.

Meu pai, naquela hora, pareceu-me envolto numa atmosfera diferenciada, e quando em determinado momento me olhou, seus olhos demonstravam um brilho que eu jamais pudera observar até então. Entendi, contudo, convenientemente, que aquele era mais um discurso ultrapassado de uma geração, que, em minha opinião, havia sido criada e habituada ao cabresto. Eu não seria tolo como eles, pensava, e não repetiria os mesmos procedimentos escravizantes. Assim, pedi licença para me retirar e fui diretamente ao meu quarto arrumar meus pertences para retornar à capital.

Deixei minha mãe aos prantos, quando informei que estava partindo. Ao passar por Juvenal, olhei-o de cima abaixo com desprezo e, em seguida, lhe disse:

– Você não passa de um alcaguete! Saberei cuidar de você na hora adequada, pode esperar!

Ele não se afetou com a minha ameaça, o que me deixou ainda mais furioso. Saí sem me despedir do meu pai, batendo a porta às minhas costas com a intenção de nunca mais voltar.

3
ERROS ACUMULADOS

Eu tinha a nítida certeza de que aquela minha atitude custaria os pagamentos mensais da faculdade e a mesada, que era depositada em minha conta de poupança bancária sistematicamente todos os meses. Porém, a atitude do meu pai me surpreendeu sobremaneira, porque, após três meses do ocorrido em sua casa, os depósitos se mantinham na regularidade costumeira.

Ao contrário de demover-me da posição orgulhosa, que era uma das características fundamentais da minha personalidade (aliás, com a qual continuo lutando com todas as minhas forças até hoje), aquela atitude de pai foi para mim como atos continuados de desaforo. Eu perguntava para mim mesmo:

– Quem o velho pensa que é para querer humilhar-me dessa maneira? Ele crê realmente que não tenho capacidade de me sustentar e de abrir mão das migalhas que me são oferecidas mensalmente? Pois vou lhe mostrar que não sou um garoto tolo e dependente!

Mantendo-me firme nessa opinião, adiantei-me em falar com os meus camaradas a respeito do que havia se passado, atribuindo toda a responsabilidade do ocorrido ao Juvenal, no sentido de estimular-lhes a ira contra o meu irmão, o qual, para mim, não passava de um covarde traidor dos princípios inovadores que precisavam ser implantados no mundo, mesmo que fosse necessário o uso da força. Ele continuaria a ser um daqueles formandos trancados dentro da mesma caixa que as outras gerações haviam aceitado ficar, sendo tratados como verdadeiros bois no matadouro. Trabalhar, constituir família, educar os filhos e se contentar em chegar à velhice com uma aposentadoria, geralmente miserável, dizendo para todos os seus amigos, detentores dos mesmos valores, que se sentia plenamente realizado; enfim, essa aquiescência pacífica e despretensiosa era, para mim e também para os meus companheiros, desprezada como se fosse uma célula cancerígena no organismo. Precisava ser combatida por todos os meios, evitando-se a metástase. Assim é que costumávamos ver elementos como Juvenal na sociedade: um tumor maligno a ser extirpado no menor tempo possível.

Mas não foi preciso aumentar os detalhes da situação para despertar no grupo a revolta que eu tanto esperava. Alguns dos componentes, filhos de pais muito ricos e donos de polpudas mesadas, imediatamente foram solidários com minhas dores em relação à humilhação pela qual eu estava passando e, para me livrar da dependência financeira de meu pai, imediatamente assumiram todas as minhas despesas; afinal, se não procurássemos auxiliar os próprios componentes do grupo, para que serviria a nossa união?

Até porque, considerou Bruno, um dos mais ricos e exaltados com os valores ditos ultrapassados, eu, com a minha capacidade de oratória, seria, se assim concordasse, o porta-voz do grupo, fazendo valer os pagamentos que receberia mensalmente.

Essa disposição deles para arcar com as minhas despesas notabilizou-se como um trabalho remunerado, servindo de estímulo para que outras pessoas, estudantes ou não, aderissem ao nosso 'partido'.

Sim, diziam eles, e com a minha total concordância, poderíamos montar ou afiliar-nos a um partido político no futuro, aumentando as nossas possibilidades de influência na alteração do jogo de poder.

Assim é que, a partir desse dia solene para mim, no alto do pedestal ilusório que eu criara mentalmente, concluí que eu poderia ligar para o meu pai dispensando a esmola mensal e, com certeza, em paralelo, esse exemplo abriria mais rapidamente as frentes para as futuras adesões de jovens que pensavam de forma semelhante à nossa.

Em relação ao Juvenal, este me procurou umas duas

vezes durante aquele trimestre, mas com arrogância eu o dispensei sem dar-lhe a chance de se explicar. Decidimos, em reunião, que lhe aplicaríamos um corretivo, servindo de exemplo para qualquer um que se colocasse contra as nossas ideias, principalmente para os seus coleguinhas, covardes como ele.

Na verdade, a ideia de poupar parentes estava fora de questão, porque a forma de lidar com eles deveria ser o exemplo máximo de que a causa e as nossas convicções estariam acima de qualquer outro valor.

Certo dia, fizemos uma pequena emboscada na saída da faculdade e, sem que Juvenal pudesse reagir, aplicamos-lhe uma bela surra, que o conduziu ao hospital. Levou alguns pontos e engessou um dos braços quebrado durante o episódio. Seus amiguinhos, poltrões como eram, fugiram espavoridos, deixando-o totalmente em nossas mãos. Naqueles momentos de revolta, sentimo--nos, então, verdadeiros justiceiros.

4
O POLÍTICO

NÃO DEMOROU PARA que meus discursos apaixonados inflamassem as plateias, que aos poucos iam aumentando, querendo ouvir os conceitos revoltosos contra a classe dominante. Verdadeiramente, eu desconhecia de onde poderia prover a intuição ou a inspiração, em virtude da minha total ignorância a respeito de mim mesmo.

De fato, eu demonstrava uma sagacidade que impressionava até alguns dos nossos professores que estimulavam ideias semelhantes, partidários de regimes de força que se implantavam com regular facilidade ao redor do mundo.

Eu destilava dos mais simples aos mais complexos

preconceitos de raça, de religião e de partido com tamanha sutileza que, às vezes, os ouvintes mais incautos, mesmo inclusos nos pontos que eram abordados, vinham cumprimentar-me pelo brilho da palestra que eu acabara de pronunciar. Por sua vez, meus camaradas mais próximos, principalmente aqueles que se cotizavam para o meu sustento (aliás, que melhorara significativamente) não economizavam na quantia para que eu estivesse sempre disposto e satisfeito.

Da pensão cheirando a mofo onde eu vivia, fui transferido para um apartamento relativamente próximo da faculdade, cedido pelo pai de um dos camaradas, que me conhecera e se impressionara fortemente com os meus potenciais.

Tratava-se de um político completamente voltado para os seus próprios interesses. Angariava fundos para as suas campanhas e acabou por se corromper com altas somas, isso sem mencionar seu envolvimento direto na cobertura do tráfico de armas. Por conta do seu apoio, em pouco tempo, a cúpula do nosso grupo já estava armada de pistolas automáticas, para o caso de encontrarmos alguns 'contrários' à nossa causa e termos condições de autodefesa.

Para nos mantermos ativos na universidade e cumprirmos o mínimo de presença valia tudo: de suborno de alguns professores 'amigos' até a compra de trabalhos feitos por alunos mais gananciosos. Obviamente, era natural a repetência, porque o nosso foco estava voltado para a conquista de adeptos, os quais, aliás, aumentaram significativamente depois de um dos nossos embates com alunos de uma universidade próxima. Na ocasião, eu mesmo saquei da minha pistola e fiz alguns disparos na direção daqueles que ousavam invadir a nossa unidade. Um dos estudantes foi atingido de raspão, mas isso foi o suficiente para que os invasores não mais retornassem para nos combater. Meus camaradas acobertaram-me devidamente e passei, inclusive, a ser muito mais respeitado e admirado por eles e pelos novos seguidores. O político, vendo a minha determinação e facilidade de contaminar e manipular magneticamente a massa, convidou-me para ingressar no seu partido. Dessa maneira, considerou ele, eu poderia iniciar uma carreira por meio da qual defenderia com mais facilidade os interesses do meu grupo e os meus próprios, porque, em sua venal opinião, fazer política era beneficiar os outros, beneficiando a si próprio ao mesmo tempo.

Em pouco tempo, com o apoio dos camaradas e das altas somas investidas em *marketing* pelo partido ao qual me filiei, eu estava me candidatando ao cargo de vereador da cidade onde residia. Em paralelo, a assessoria que recebia do tal político era tão de acordo com a minha maneira de pensar que eu passei a tratá-lo como a um pai, cujas orientações e conselhos eu costumava seguir à risca.

Enquanto isso, eu repelia sistematicamente as tentativas de contato por parte da minha mãe e, algumas vezes, também do meu pai, enquanto Juvenal evitava-me de todas as maneiras, chegando a atravessar a rua, caso estivéssemos na mesma calçada. Para mim, que

vivia cego pela soberba, ele não passava de um joão-
-ninguém, alcaguete e covarde, que deveria de fato
me evitar, se quisesse continuar gozando de boa saúde,
uma vez que eu sempre andava acompanhado por alguns colegas, que se prestavam ao papel de verdadeiros guarda-costas.

5
DELÍRIOS DO PODER

Recebendo todo o apoio que eu necessitava de políticos experientes ligados ao meu 'protctor' e com a minha juventude explorada pelo próprio partido, que vendia a ideia da necessidade de 'sangue novo' com propostas de renovação, a minha eleição foi garantida com expressiva margem de votos, impressionando até os mais antigos 'caciques'.

Meus camaradas estavam exultantes com os resultados das urnas. Facilitada pela colaboração financeira advinda dos pais de alguns deles, interessados diretos na promoção dos seus negócios, a compra de certa percentagem de votos tinha acontecido com discrição. Enfim, eu começava a minha carreira política já compromissado com empresários de ética duvidosa e financiado por certa parcela de dinheiro proveniente do tráfico de armas e de drogas.

Porém, quem se importava de fato com isso? Em nosso grupo de pseudo-revolucionários, dinheiro não tinha marca de origem, devendo ser usado para atingir os fins que nos interessavam.

Da ideologia para a lambança foi um pequeno passo, porque, se alguns camaradas estavam voltados para uma causa que diziam ser nobre, em defesa de princípios de igualdade dentro da sociedade onde viviam, a maioria do nosso grupo não provinha das classes mais abastadas. Na realidade, a boa vida encantou-os rapidamente, tão logo o dinheiro começou a correr em nossas mãos oriundo das negociatas.

Aqueles componentes que iniciaram a distensão, por não aceitarem os nossos desvios de rota, foram convidados a se retirar ou saíram por conta própria. Um deles, mais radical, que não tinha qualquer parentesco com gente influente, vivendo isolado dos seus familiares, desapareceu como que por encanto, depois de certas observações e instruções que um dos responsáveis do partido deu para alguns dos fanáticos que nos acompanhavam. Parte deles, apaixonados por dinheiro fácil, obviamente...

Quanto à faculdade, que representava um ponto para a arrecadação de votos e que fora meu único interesse durante determinado período da vida, ficara no passado, junto com as propostas de me tornar um advogado.

Com o verbo fluente e dono de um magnetismo contagiante, para que eu precisaria me esforçar numa profissão, trabalhando como um louco, principalmente no início de carreira, se já abraçara e percebia que a 'profissão' de político era uma das mais rentáveis?

Porém, visando ao meu aperfeiçoamento, investi fortemente em assessoria de imprensa e em profissionais que me orientavam nos discursos e na elaboração de propostas, via de regra, compradas, buscando a defesa dos interesses dos meus financiadores. Dessa forma, comecei a sonhar alto. Meu cargo de vereador da cidade representava, naquele momento, apenas o primeiro degrau de uma escalada vitoriosa. Sentia interiormente que nascera para brilhar e destacar-me dentro da sociedade. Não havia como esconder que, de fato, o poder e o dinheiro exerceram rapidamente um grande fascínio em minha vida.

As orientações religiosas que eu recebera dos meus pais, cuja relação com a divindade atendia apenas aos interesses dos compromissos sociais, não me motivaram à busca da espiritualização do ser. Tinha absoluta certeza de que tudo aquilo que era professado pelos religiosos visava apenas 'tomar' o dinheiro de seus adeptos estúpidos e ignorantes, que se deixavam iludir por um céu de delícias mais materializado do que a própria Terra.

Apesar da minha posição em relação às religiões e doutrinas em geral ser de profunda incredulidade, uma coisa eu deveria levar em conta: entre os fiéis encontrava-se uma parcela significativa de votos. Então, passei a disfarçar a minha postura materialista, identificando-

-me com pastores, padres e líderes outros que pudessem me auxiliar nos projetos escusos camuflados de boas intenções.

Quando eu percebia que o momento era favorável, buscava fazer generosas contribuições para a causa e também presentear determinados líderes venais com objetos de suas preferências. Os 'caciques' do meu partido e os financiadores, notando a minha capacidade de movimentação nas mais diversas áreas e minha facilidade em fazer 'amigos' influentes, procuravam me suprir financeiramente nessa tarefa de agradar um e outro.

Comecei a me sentir como um soberano dos mais inteligentes e bem preparados, sabendo, de antemão, que dispensando um excelente tratamento junto aos súditos e deixando-os sempre felizes, minha manutenção no poder estaria garantida.

Eu estava cheio de mim e, na minha empáfia, não percebia que era controlado pelas mais distintas forças, tanto de uma dimensão como de outra. Na verdade, era como se eu tivesse sido picado pela fêmea do Anopheles, responsável pela transmissão da malária, pois eu ardia em febre e delirava. Mas meu delírio ocorria pela febre do poder.

6
FALSO MORALISMO

COM A MINHA performance melhorando a cada dia, logo comecei a despertar o interesse da filha caçula do meu padrinho político.

Um relacionamento sério, para constituir família, não estava nos meus planos, por achar-me muito jovem. Ao mesmo tempo, com a fama que conquistava, despertava interesse em mulheres das mais variadas idades, cujo caráter se assemelhava ao meu; ou seja, obter vantagens em cada envolvimento.

Com um seleto grupo de 'amigos', num apartamento de cobertura que eu acabara de 'ganhar' de um construtor por atender-lhe certas solicitações, promovia festas regadas a bebidas caras, uma boa seleção de drogas e muitas moças que se prestavam ao serviço de ganho considerado fácil.

Porém, o meu padrinho se preocupava com a minha imagem de solteiro aproveitador da vida, dizendo sempre que, se a mídia descobrisse os meus desmandos, poderia investir contra mim e arranhar minha exitosa e iniciante carreira. Apesar de ele manter as aparências de um indivíduo moralista ao extremo, costumava participar de algumas das minhas festinhas, principalmente quando elas envolviam empresários corruptos que nos sustentavam com polpudas doações direcionadas tanto para o partido quanto para as nossas contas bancárias no exterior.

Os valores ainda eram pouco significativos no meu caso, em virtude da minha influência ser limitada, mas, como eu despontava como uma promessa em médio e longo prazo, o investimento na minha carreira garantiria que, no futuro, com maior expressão e influência dentro do quadro político, os ganhos não só continuariam a ser mantidos como seriam acrescidos.

Tudo não passava de negócios na politicalha que eu praticava. Estava me tornando mestre em parecer o que não era para o público, com os meus discursos idealistas de gente do povo, como eu gostava de me apresentar. Para isso, procurava analisar detidamente a movimentação dos velhos caciques para aprender com eles a arte da simulação. Assim, descobri que brincar com crianças, segurar bebês no colo, abraçar idosos, ouvir jovens como eu com redobrada atenção, visitar com frequência o meu reduto eleitoral, comer alguma coisa em botecos e restaurantes simplórios, distribuir cestas de alimentos, e assim por diante, rendiam sempre a simpatia do povo.

Fora, ainda, a participação em eventos badalados, onde alguns influentes da época, geralmente criaturas interesseiras e vazias como eu, circulavam com regularidade atrás de fofocas, fotos nas colunas sociais de jornais e revistas e alguns programas de televisão voltados para a mesma mediocridade.

A minha agenda era sempre inteiramente lotada de compromissos dias e noites seguidos. Quando eu não estava listado em algum evento que achava importante, dava um jeito de aparecer de surpresa, mesmo que fosse por meia hora. Eu sabia de antemão que encontraria alguém interessado em fazer média comigo incluindo-me de última hora, pois, no futuro, conseguiriam determinados favores. Tudo, enfim, não passava de um jogo muito atraente e divertido.

A essa altura, as eleições para deputado estadual estavam chegando, e os membros do partido interessados na minha candidatura insistiram para que eu começasse a pensar na ideia de me casar.

No intuito de fortalecer-me junto ao meu padrinho e demais cooperadores, levei adiante os planos de consórcio. Como a caçula dele demonstrava grande interesse por mim, lancei-me como candidato sério, dizendo que as minhas famosas festinhas na verdade me entediavam; além disso, completava, seus conselhos de 'pai' calavam fundo em meu coração.

Assim, declarei que a sua filha despertara em mim

viva motivação para levar uma vida mais equilibrada e responsável, desejando, enfim, constituir uma família com ela.

Ele, a princípio, mostrou certa preocupação, porque as suas participações nos encontros sociais em meu apartamento eram sinais claros de que eu poderia, tal como ele, continuar com uma vida dupla em relação à esposa. Como um machista e falso moralista, cometia os atos mais ilícitos com as filhas dos outros; porém, desejava conservar seus rebentos protegidos e intocados das impurezas do chamado mundo profano.

Sagaz como era, também tinha em suas mãos os aspectos negativos da minha personalidade, o que poderia ser usado contra mim, caso eu não tivesse com sua filha um comportamento adequado.

Em uma de nossas conversas particulares, sempre regadas a uísque caríssimo, geralmente presenteado pelos chamados 'amigos', confidenciou-me que admitia relacionamentos fora do casamento, porque, alegava, o homem precisava disso; faz parte da sua natureza animal. Porém, dizia, eu deveria sempre tomar muito cuidado para não me expor.

No final, ele endossava o meu casamento com a sua filha, entendendo que as facilidades do cargo e a fama precisavam também ser discretamente aproveitadas.

7
CIDADÃO RESPONSÁVEL

Namoro, noivado e casamento deram-se em menos de oito meses, um ano e meio antes do período em que eu estava preparando a minha candidatura para deputado estadual.

O passo era grande, uma vez que a quantidade de votos para o cargo almejado era consideravelmente maior. Mas, se eu não aproveitasse a oportunidade do apoio que os caciques do partido me davam e as benesses do consórcio, perderia o melhor momento da minha carreira. Não se tratava apenas de unir o útil ao agradável, mas de unir o útil ao útil mesmo, porque os meus sentimentos de amor em relação a minha noiva, Amanda, não eram verdadeiros. Gostava dela como pessoa e admirava sua esplendorosa beleza, mas era só.

Seus traços clássicos romanos, em virtude da sua descendência materna marcante, davam-lhe ares de uma verdadeira deusa, esculpida em mármore da mais alta qualidade. Os olhos de um azul claro incomum aprofundavam a sua meiguice, tornando-a ainda mais adorável. Ela havia sido educada como sua mãe, para ser uma administradora do lar e educadora dos filhos.

Tinha uma boa formação, com extensão no curso que abraçara e encerrara com louvor, muito mais por gosto do que por profissionalismo.

De sua parte, projetara em mim os detalhes que mais admirava em seu pai, cuja postura dentro de casa era de uma honradez e seriedade acima de qualquer suspeita. Em relação ao nosso consórcio, eu percebia que os sentimentos de Amanda para comigo eram verdadeiros; me amava com tamanha energia que me fazia sentir bem e fortalecido em sua presença.

O seu tratamento carinhoso e de um respeito enorme para com aquele que tinha escolhido como marido, como mandava, aliás, a educação conservadora para as mulheres de sua família, impressionava-me fortemente, fazendo que eu procurasse tratá-la com dignidade, até porque os interesses em meu sogro não poderiam sofrer qualquer arranhão comprometendo a minha escalada ao poder.

Ele, em contrapartida, não poupava recursos, desde a

festa de casamento, que foi concorrida pela ostentação, o apartamento novo em bairro nobre da cidade e uma mesada para sua filha; tudo isso nos permitia realmente uma vida de luxo. Era importante, dentro dos seus valores distorcidos, demonstrar poder e riqueza diante de parentes, amigos, sócios e correligionários.

No entanto, toda essa fortuna estava calcada em seus negócios escusos muito bem disfarçados no ramo que elegera para arrecadar vultosas somas em espécie, além das garantias junto às instituições responsáveis por detectarem dinheiro desviado ou literalmente lavado. As fraudes estavam ligadas ao seu cargo de senador da república, permitindo o acesso aos indivíduos subornáveis dentro dessas mesmas instituições, que deveriam, ao contrário, inibir as negociatas de políticos ou de empresários desonestos.

Para mim, pouco importava de onde provinham os recursos, desde que mantivessem a minha boa vida, em quantidade suficiente, inclusive, para 'tapar a boca' daqueles que se posicionavam como adversários.

O fato é que, casados, pensamos logo no herdeiro, que, no meu caso, era imperioso, pois eu seria apresentado aos eleitores como um cidadão responsável e excelente pai de família.

Dentro da estratégia para lançar-me candidato a deputado estadual, a vida foi generosa, porque Amanda engravidou logo; nosso bebê nasceu pouco antes de iniciar minha campanha para o novo cargo. Eu estava exultante com a possibilidade de apresentá-lo à sociedade que nos acolhia tão bem, por conta da nossa juventude e dos meus discursos, denotando sempre uma oratória considerada brilhante.

Sem que me desse conta do que se passava comigo, iniciei um processo de fascinação. Passei a me considerar um ser superior, criado para liderar as pessoas que, via de regra, no meu conceito, não passavam de criaturas ingênuas e despreparadas.

Foi por essa época que comecei a ter certas visões, principalmente durante a madrugada. Criaturas estranhas davam-me a impressão de invadir o meu quarto e, com os dedos em riste, acusavam-me de ladrão e de homicida. Traziam, em grande parte, seus rostos deformados por alguma violência sofrida, enquanto outros se apresentavam magérrimos, como se houvessem morrido em profunda miséria.

Entre os acusadores, também surgiam alguns que pareciam chefiar a malta, com carantonhas horríveis. Um deles, que povoava os meus sonhos com regularidade, certa vez pareceu estar diante de mim, quando despertei em sobressalto de um pesadelo durante uma das noites maldormidas. Grotescamente dizia:

— Seu filho faz parte do grupo de criaturas que você desgraçou. Ele fará você pagar por tudo que a sua ganância nos causou, miserável usurpador. Aguarde e verá!

8
OS FINS E OS MEIOS

A PRINCÍPIO, ASSOCIEI aquelas imagens e pesadelos ao volume de trabalho e estresse em que eu vivia, em função do propósito de manter a popularidade em alta junto aos meus eleitores e também junto aos novos que eu precisava conquistar para a cadeira de deputado estadual. Então, não media esforços. Minhas atividades se estendiam até altas horas da madrugada, reduzindo o descanso e levando-me a cometer indisciplinas com a alimentação, apesar de alguns protestos de Amanda quanto à minha saúde. Os finais de semana também eram comprometidos com reuniões e visitas aos redutos do meu interesse.

Mas, como os pesadelos passaram a ser de caráter contínuo, achei melhor procurar um médico, o qual, depois de alguns exames, atribuiu o problema à necessidade de mais horas de repouso e de alimentação regrada, evitando principalmente o álcool, que eu me afeiçoara razoavelmente, não conseguindo mais deixar as chamadas doses relaxantes, que se tornaram diárias. No entanto, como os resultados foram pífios, mesmo com a inclusão de medicação receitada pelo facultativo, um dos correligionários mais próximos e com grande intimidade me ofereceu, certo dia, um pouco de cocaína para auxiliar no alívio da tensão.

Os efeitos da droga em relação à minha disposição e criatividade foram imediatos, mas, depois do uso, a sensação desagradável e depressiva se implantava e as figuras monstruosas apresentavam-se com maior nitidez e com um linguajar cada vez mais desrespeitoso e chulo.

Um dos esforços que exigia dispêndio de energia extra de minha parte era encobrir do meu sogro qualquer irregularidade na minha saúde e no meu relacionamento com Amanda, porque um deslize de minha parte significaria perder apoio e isso eu não podia permitir.

Em relação à esposa, eu me posicionava como o marido exemplar, apesar de dedicar pouco tempo para ela em seu estado gravídico. Buscava envolvê-la em carinho; um dos meus contratados estava encarregado de enviar-lhe flores com cartões que eu já deixava previamente escritos, diariamente, buscando reparar a minha ausência com presentes.

Na arte da bajulação, eu me saía cada dia melhor, principalmente depois que contratei um profissional especializado nessa área, cuja função era mandar 'presentinhos' para este ou aquele que eu desejasse envolver em minhas negociatas. A lista de aniversários era imensa; uma das técnicas usadas por mim era a de presentear também esposas e filhos do casal, sendo lembrado por todos com grande simpatia.

Confesso que não vi o tempo passar. De repente estava com o herdeiro em meus braços. Para felicidade do meu sogro, era o primeiro neto, uma vez que da parte do irmão e da irmã de Amanda somente havia meninas.

Naturalmente, procurando fazer uma média acima das expectativas da família de minha esposa, decidimos colocar o nome de seu pai em nosso filho: Ernesto Neto.

Meu sogro, machista inveterado, pareceu que explodiria de emoção diante da homenagem. Não medindo esforços para me agradar, doou uma de suas fazendas para o neto recém-nascido, para que o garoto já iniciasse a vida com um patrimônio considerável, sendo que o gerenciamento continuaria sob a responsabilidade dos seus administradores, porque ele não queria minha atenção desviada em relação aos objetivos na política.

Imediatamente, unindo mais uma vez o útil ao agradável, vi a possibilidade de, no futuro, lavar uma boa quantidade de dinheiro usando a produção da fazenda. Minha ganância não tinha limites. Costumava fazer planos sobre as arrecadações em cargos que ainda não possuía. O importante era pensar grande, segundo o meu lema, porque aqueles que não procuravam viver dessa forma, em que os fins justificam os meios, não passavam de eternos perdedores.

De outro lado, se tudo parecia sorrir para mim, apesar do incômodo de meus pesadelos, a saúde de meu filho gerava preocupações pela fragilidade, ao mesmo tempo em que certa rejeição a minha pessoa já se mostrava patente. Bastava eu pegá-lo no colo e o garoto iniciava uma sessão de choro contida somente pela mãe. Não saberia dizer, na época, se tudo não passava de imaginação, mas, às vezes, eu tinha a nítida impressão de que ele me fitava com um olhar de profundo ódio.

Também não pude dar maior atenção a esses episódios, porque a campanha para o novo cargo havia se iniciado e ele era um trunfo diante da sociedade. Eu passara à condição de pai, e isso valeria muito para a parte do eleitorado mais conservador, que valorizava a família e a religião.

Para essa parcela da sociedade, meus discursos passaram a ser sobre a necessidade de se implantar novos recursos e excelência de gerenciamento para os setores voltados à educação, à saúde, à moradia e à segurança, além de, veladamente, dar ênfase aos valores religiosos, obviamente de forma geral, visando a agradar o máximo possível de eleitores independentemente da religião que professassem. Agora, como chefe de família e pai, demonstrava me sentir afetado diretamente pela incompetência das autoridades, pois temia pelo futuro do meu filho.

Tudo não passava de demagogia barata da minha parte, porque os meus objetivos, na verdade, estavam centrados nos esquemas que eu fazia com empresários interessados em substituir aqueles que forneciam para o governo. Pela minha performance, apostavam pesado na certeza de que, gradativamente, eu inverteria o jogo, mesmo que demorasse mais algum tempo e demandasse outras campanhas.

9
A MELHOR MEDIDA

O SUCESSO DA minha campanha foi estrondoso, confirmado pelo dobro de votos que eu precisava para ser eleito. Os 'caciques' ficaram impressionados com os resultados tão expressivos em curto espaço de tempo. Os empresários, amigos e correligionários tinham muito que comemorar, pois, com absoluta certeza, os seus interesses seriam atendidos e os favores, devidamente compensados.

Participei de comemorações públicas com o discurso de sempre, recheado de clichês e o verbo extremamente bem direcionado, com os amigos mais íntimos, de festinhas regadas a muito álcool, drogas e mulheres.

Contudo, apesar do sucesso alcançado, os problemas de ordem psíquica não me davam trégua. A medicação que um colega psiquiatra havia recomendado me deixava mais aéreo do que propriamente solucionava aquelas estranhas ocorrências. As visões das criaturas deformadas continuavam a surgir, ora acusando-me de crimes cometidos, ora fazendo chacota a respeito do meu filho, o qual eles chamavam de vingador. A tortura, principalmente nas minhas madrugadas maldormidas, era tamanha que passei a evitar o meu filho. Em vez de carinho, passei a dirigir-lhe, em grande parte das ocasiões, energias negativas e desgostosas.

Tudo nele me aborrecia: sua presença, o apego com a mãe, o seu choro, enfim, tudo o que se referia àquela criança era motivo para me tirar o bom humor imediatamente. Algumas vezes, raríssimas aliás, quando eu fazia um esforço sobre-humano para pegá-lo no colo, a choradeira tinha início imediato. Confesso até que tive o ímpeto de lançá-lo pela janela do apartamento ou atirá-lo na piscina que tínhamos em nossa luxuosa área de lazer. Pensar em afogá-lo era uma opção que me dava um prazer indescritível. Ao mesmo tempo, eu me questionava o porquê daquilo tudo.

Abrindo-me um pouco com um dos amigos em que eu mais confiava, atitude que evitava ao máximo para não demonstrar as minhas fragilidades, ele aconselhou-me a visitar um clarividente. Segundo ele, aquele senhor tinha uma mediunidade que impressionava. Insistiu para que eu não me preocupasse, porque o preço a pagar não costumava ser muito alto, dependendo do caso a ser tratado, obviamente. O tal cidadão, segundo ele, costumava atender com a maior discrição alguns políticos, empresários e artistas.

A princípio achei uma estupidez absurda, porque o sujeito deveria ser um charlatão da pior espécie, aferindo recursos de pessoas incautas. Contudo, a insistência do meu colega e os surtos pelos quais eu vinha passando acabaram me convencendo e, assim, marcamos uma consulta para uma noite de sexta-feira.

Quando chegamos ao local, em bairro de classe alta, percebi que o tal clarividente gostava de viver bem, instalado numa bela casa com carros importados na garagem. O primeiro comentário que eu fiz para o meu acompanhante foi:

– Esse tipo de negócio rende bem, não, Alex? Noto que o local é para poucos. Trabalhar com o Além é lucrativo, porque você só recebe e não precisa repassar – concluí fazendo ironia.

Alex não se alterou, respondendo apenas:

– Esse clarividente é muito procurado e, segundo fui informado, ele tem uma instituição onde faz palestras extremamente concorridas, cujos valores pagos pela inscrição costumam ser altíssimos.

– Mais interessante ainda, meu amigo. Eu deveria ter me envolvido com esse povo do Além e não ser político, porque, assim, não precisaria me preocupar com as reciprocidades.

Uma espécie de segurança e manobrista nos atendeu. Em seguida, uma jovem, que se apresentou como a assistente do tal médium, encaminhou-nos para o seu 'consultório', instalado na edícula da residência. Móveis confortáveis e luxuosos ornamentavam o local. No centro da sala, uma mesa redonda, com alguns objetos estranhos sobre ela, completava a decoração.

De repente o sujeito adentrou a sala, todo vestido de branco e portando uma espécie de turbante. Ao divisá-lo, fiz uma força enorme para não rir da sua aparência, que era um misto de traje de Réveillon com algum culto afro. Ele não se importou com a minha atitude, porque o valor cobrado pela sua assistente deveria compensar qualquer deboche que o consulente pudesse fazer. Limitou-se a sentar diante da mesa, convidando-me a fazer o mesmo.

Então, de forma ríspida, se apresentou:

– Chamo-me Enoc! Qual o seu nome?

– Adalberto – limitei-me também a responder.

– Qual é o seu problema, Adalberto?

– Geralmente visões noturnas de pessoas deformadas.

– Vejo que você anda com certas companhias. Vou tentar intermediar uma delas – disse Enoc com ar de superioridade.

Minutos depois, e de algumas estranhas contorções, sua face pareceu transfigurar-se. Então, com voz rouca, um tanto gutural, dirigiu-se a mim:

– Você não passa de um crápula maldito que será destruído em breve pela nossa falange. Não pense que se safará, livrando-se do seu filho, porque ele é apenas a ponta da lança que está dirigida para o seu coração. Saiba que nós odiamos você e não lhe daremos trégua, corrupto maldito!

Em seguida, com outros engasgos e contorções, Enoc voltou ao normal e, se até aquele instante eu me mantivera na defensiva, depois da comunicação, confesso que fiquei impressionado, porque Alex não sabia absolutamente nada a respeito do meu filho, tampouco da ojeriza que eu sentia em relação a ele.

Enoc, percebendo meu espanto, arrematou:

– Você poderá se livrar desses obsessores se quiser, bastando fazer uns trabalhos para afastá-los.

– Como? Fazer trabalhos?

– Não se preocupe, porque posso providenciar tudo sem que você tenha que participar diretamente. Caso seja do seu interesse, minha assistente encarregar-se-á de acertar os custos dos produtos que serão utilizados.

Disse isso e retirou-se da sala sem se despedir. Mas, apesar da arrogância do cidadão, eu estava deveras impressionado. Em instantes, fazia o cheque de razoável valor para o pagamento dos serviços que deveriam ser realizados.

O que me importava o alto preço! O dinheiro corria solto em minhas mãos e, se por acaso desse certo, me livraria daquela situação incômoda de uma vez por todas! Com certeza, pagar para ver seria a melhor medida a ser tomada.

10
TENTATIVA FRUSTRADA

Alguns dias se passaram e, em vez de obter qualquer resultado favorável, os meus pesadelos se intensificaram; determinadas visões noturnas daquelas criaturas odientas recrudesceram.

Elas surgiam fazendo verdadeiro alvoroço, causando-me os mais diversos embaraços nas explicações que eu tinha de oferecer para a minha esposa. Galhofeiras, passaram a se divertir com a minha tentativa frustrada de me livrar delas.

O chefe da malta, certa noite, me disse:

– Escute bem, se você pensa que vai se livrar de nós com alguns animais sacrificados, cachaça e velas depositados numa encruzilhada está muito enganado, seu trouxa. Queremos vingança pelo que você nos fez e não o deixaremos um minuto sequer, maldito asqueroso!

Resolvi dar um basta naquilo tudo, porque o tipo de ameaça do tal fantasma serviu para encolerizar-me em relação ao charlatão do Enoc. Mal esperei o dia amanhecer e telefonei para o Alex, cuspindo fogo:

– Aquele seu amigo embusteiro tomou o meu dinheiro, que não foi pouco, e agora, os fantasmas, espíritos, alucinações, ou seja lá a definição que se possa dar, pioraram de tal maneira que eu continuo recebendo as mesmas ameaças, incluindo zombarias relativas ao trabalho que aquele trapaceiro fez ou informou que faria.

– Tenha calma, Adalberto...

– Calma coisa nenhuma! Quero o meu dinheiro de volta ou mandarei um dos meus seguranças fazer uma visita para aquele crápula.

– Isso não se resolve assim... Vamos marcar uma nova consulta e informar o que está se passando. Existem casos que são mais intrincados e difíceis.

– Bem, Alex, você me meteu nessa confusão; agora tem a responsabilidade de me tirar. Quero uma solução urgente!

Estava tão furioso que bati o telefone com tanta violência que o aparelho quase se partiu em dois. Eu, que estava acostumado às mais delicadas negociações, não podia ser enganado por aquele misto de curandeiro e médium. O problema não era o dinheiro, mas o meu orgulho, que estava ferido. Amanda, ouvindo parte da conversa, questionou-me preocupada.

– O que está acontecendo, meu bem?

Tive que inventar uma história cinematográfica para encobrir a realidade, porque, apesar dos seus pais serem religiosos de ocasião, frequentando a igreja somente em eventos sociais, caso soubessem do meu envolvimento com aquele embusteiro, viriam com certeza com o velho e falso moralismo, bem conhecido por mim, correndo sério risco da minha imagem ficar arranhada.

Minha esposa fora educada dentro desses padrões moralistas e os meus pesadelos noturnos já eram mais do que suficiente para assustá-la. Só me faltava mais essa tolice, de me envolver com curandeiros, para deixá-la em pânico. Continuei, assim, me desculpando e acusando o excesso de atividades. Para encerrar o assunto, garanti que faria um *check-up* completo, marcando também uma série de consultas com especialistas, para solucionar o problema de uma vez por todas. Em paralelo, reduziria a minha carga de trabalho.

Ela não se deu por satisfeita, dizendo que fazia questão de me acompanhar nas consultas médicas. A princípio concordei, por ser o melhor a fazer naquela altura dos acontecimentos, mas notei que, para o meu desespero, começava a ver aqueles vultos também durante o dia, principalmente quando ficava contrariado.

Para a minha própria sobrevivência na política, eu precisava encontrar uma solução, pois, se os meus competidores viessem a tomar conhecimento daquilo, logo me apontariam como esquizofrênico. Eu gastaria fortunas se necessário, mas não seria tolo em dar-lhes essa munição.

11
O PACTO

NÃO SEI AO certo o que Alex fez para conseguir de forma tão rápida uma nova entrevista com o tal médium, porque fui atendido no dia seguinte da minha conversa com ele.

Dessa vez Enoc se mostrou extremamente polido. Até a sua assistente foi muito mais amável na maneira de me receber.

Ele me aguardava em pé, na porta de seu consultório, e abraçou-me como se eu fosse um velho amigo. Após nos acomodarmos ao redor da mesa, ele perguntou:

– Como tem passado, doutor Adalberto?

O tratamento realmente havia sido bruscamente alterado, provavelmente por uma doação generosa por parte do Alex ou de um alerta do quanto eu poderia causar embaraços em suas atividades. Dei de ombros para a bajulação com a qual já me acostumara e respondi secamente:

— Sendo franco, pior do que eu esperava, depois das providências levadas a efeito em relação aos meus pesadelos e as visões.

Entenda, Enoc, que eu não posso continuar me expondo com médicos psiquiatras ou qualquer outro tipo de profissional da área da saúde mental, dando chance para meus adversários iniciarem burburinhos a meu respeito, buscando demolir a minha imagem junto ao público e comprometendo-me com o meu eleitorado, que vem crescendo a cada dia.

— Perfeitamente, doutor. Posso imaginar, ou melhor, sentir o que se passa com o senhor. Tenha absoluta certeza de que faremos tudo o que estiver ao nosso alcance para aliviá-lo dessa incômoda situação.

— Faremos, Enoc?

— Sim, estou incluindo os espíritos com quem trabalho. Tomei a iniciativa de fazer algumas consultas a seu respeito com um dos meus 'guias', que mostrou disposição em auxiliá-lo, tanto nos problemas relacionados às entidades que o incomodam atualmente como na sua exitosa carreira.

— Permita-me continuar com alguma margem de ceticismo em relação a tudo isso, porque os meus desconfortos se agravaram após os trabalhos realizados por você ou esses tais espíritos que lhe atendem.

— Compreendo a sua frustração, doutor; todavia, o que posso apresentar é uma proposta do chefe da falange que me orienta. Se o senhor quiser, poderá tratar diretamente com ele através do meu intermédio, pelo processo da incorporação. O que me diz?

— Seja lá o que vier, eu preciso de soluções rápidas. Vamos ao que interessa, Enoc!

Após alguns minutos de uma invocação que me pareceu teatral e um tanto esdrúxula, Enoc pareceu transfigurar-se, tal como da primeira vez, numa figura com características demoníacas, cuja voz potente e ao mesmo tempo sibilante impressionou-me, principalmente em virtude de sua abordagem:

— Você se acha poderoso; contudo, saiba que, para mim, você não passa de um joão-ninguém metido em um cargo político de segunda categoria. Se quiser resolver esse emaranhado onde se meteu desde outras reencarnações e conquistar espaços onde a minha influência e de meu séquito faça reais diferenças, estou disposto a fazer um pacto.

— Pacto? De que espécie você fala?

— Você, não: senhor! Não estou no seu nível ou no dos seus aduladores.

— Está bem, senhor... O que me oferece?

— Levaremos você ao topo ou o mais próximo disso, porque o velho está apodrecendo e deverá deixar a casaca de carne em breve tempo, sem saber o que se passa.

— Velho? A quem exatamente o senhor se refere?

— Ao seu sogro, infeliz. O câncer que o matará está instalado no cérebro e o tonto não se atentou que as dores que sente em sua cabeça são oriundas de um tumor de grande proporção. Como estamos perdendo um importante aliado nos negócios em que estamos envolvidos, você, caso se comporte como desejamos e cumpra adequadamente as nossas ordens, poderá ser o substituto natural.

– Isso me interessa, sem dúvida... Mas e quanto a livrar-me das visões e pesadelos que me perturbam?

– Faremos isso, porque o chefe da falange que o obsedia é um fraco, incompetente, como muitos que eu já afastei de quem nos apadrinhamos. Em curto espaço de tempo você manterá contato comigo ou com quem eu designar.

– O que devo fazer de minha parte?

– Continuar trabalhando para alcançar postos mais elevados e aumentar tanto quanto possível o favorecimento do tráfico de armas e de drogas. Saiba, de antemão, que não suporto deslizes de qualquer espécie e que a punição para desertores é a morte e escravização imediata. Agora, é sim ou não?

– Sim! Peço somente que o senhor me livre desses pesadelos e dos vultos que me atormentam. Eu farei a parte que me cabe com todas as minhas forças.

– Então, chega de conversa e vá cumprir com as suas obrigações!

Vivenciei, por instantes, um misto de pavor e de felicidade, porque poderia alcançar os meus objetivos com uma ajuda extra, caso toda aquela conversa fosse de fato real e não uma mistificação barata. Em todo caso, eu pagaria para ver.

12
O ATOR DAS TREVAS

Impressionou-me sobremaneira a rapidez com que os pesadelos e as visões noturnas desapareceram. Em torno de duas semanas eu me tornara uma pessoa dita normal em relação àqueles surtos que me incomodavam tanto. Mas, encerrado esse curto período, passei a divisar em meus sonhos a figura de um homem vestido com um manto negro e tendo a cabeça coberta por um capuz como se fosse um sacerdote da Idade Média, mantendo o rosto em total escuridão. Sentava-se em cadeira de espaldar alto, atrás de uma mesa tosca de madeira, ambas enegrecidas pelo tempo.

Do pouco que me lembrava desses sonhos, aquela figura ímpar me questionava sobre a estratégia a ser adotada a respeito dos meus próximos passos em relação ao poder, expedindo ordens, as quais, ao despertar, eu tomava como se fossem fruto de intuição.

No entanto, com as alterações ocorridas, aproximei-me de Enoc, com quem passei a ter relação regular, visitando-o no mínimo uma vez por semana, quando não, telefonando para falarmos a respeito das ocorrências e imagens oníricas, interpretadas pelo médium de forma espetacular, conforme os meus parcos conhecimentos do assunto. Comecei a me fascinar pelas novidades; sempre discutia com ele as minhas intuições e os próximos movimentos em relação à conquista de mais aliados e de poder. A sintonia entre nós realmente impressionava, dando-me a certeza de que formávamos um trio imbatível: eu, Enoc e o espírito que, de um dia para outro, se identificou como 'O Senhor'.

O tempo passava rapidamente. Em apenas um ano de parceria, sentia-me completamente apoiado por forças ocultas, que se antecipavam às minhas ações, abrindo-me as portas, alterando situações desagradáveis ou afastando pessoas contrárias aos meus interesses.

Era interessante notar que, em alguns casos, aqueles que se opunham às minhas negociatas sofriam um acidente ou se enfermavam de uma hora para outra, como se parte de suas energias fossem literalmente sugadas por algo ou alguém. Eu notava que isso costumeiramente ocorria com gente que disputava comigo os negócios envolvendo o fornecimento de armas ou de drogas.

Para não me enganar e confirmar as minhas intuições, quando o assunto a ser tratado era de substancial importância, Enoc se tornava passivo, deixando que 'O Senhor' confirmasse ou corrigisse qualquer rota a ser seguida.

Nesse mesmo período, meu sogro adoeceu gravemente, conforme a entidade espiritual havia predito. O câncer prenunciado de fato abreviou sua existência em dois meses.

As exéquias foram extremamente concorridas pelos interessados na manutenção de contratos e de regalias com o objetivo direto de transferência de apoio político, sabendo que eu assumiria o legado do sogro, pai, conforme eu me referia a ele em várias ocasiões.

Com a família, coloquei-me completamente à disposição, principalmente quanto à administração de parte do patrimônio, o qual, por direito, pertencia à minha esposa. Fazia-o sempre com o cuidado de não demonstrar qualquer interesse nos valores ou propriedades, mantendo-me em posição equilibrada, evitando querelas entre os irmãos e dando o suporte adequado à minha sogra, cuja estima e consideração por mim eram extremas.

Na realidade, eu interpretava muito bem o papel de bom genro, na certeza de que uma postura adequada me traria frutos em curto prazo, levando a viúva a defender a minha próxima candidatura para deputado federal como o sucessor natural do seu marido.

Com efeito, as surpresas não cessavam. Numa das consultas ao espírito através do mediunismo de Enoc, o líder das trevas solicitou-me algo completamente inusitado em relação ao meu filho. Disse ele que, com o passar dos anos, o garoto ofereceria problemas de monta para os nossos objetivos de poder, criando embaraços os mais diversos, os quais visavam a arruinar a minha imagem de bom político e de cidadão incomum.

Sendo ele um dos remanescentes da falange que me perseguia, tê-lo junto a mim significava manter o lobo dentro do redil. A qualquer instante agiria conforme a sua natureza selvagem, atacando-me direta ou indiretamente. Não caberia esperar pela adolescência para conferir os resultados.

Num primeiro momento, achei a ideia uma loucura, mas, com o passar dos dias, dado que a natureza do menino em nada se alterara em relação a mim, o plano criminoso sugerido pelo 'O Senhor' começou a fazer sentido em minha mente; executá-lo não me parecia, assim, inviável. Passei vários dias arquitetando os meios para eliminá-lo sem deixar qualquer possibilidade de me incriminarem.

Eis que uma conjunção de forças pareceu favorecer-me numa manhã de sábado, quando a babá nos informou que despertara com sintomas de uma forte gripe, não podendo comparecer ao trabalho. Por sua vez, Amanda programara compras com suas amigas em um luxuoso shopping. Exatamente a duas semanas seria meu aniversário, para o qual, disfarçadamente, ela escolheria um fino presente.

Foi assim que, tão logo minha esposa saiu, coloquei o meu plano em ação, sentindo-me completamente envolvido por potências estranhas, parecendo coordenar meus pensamentos e alguns movimentos. Em determinado instante, até o que eu falava dava-me a nítida impressão de que se tratava de outra criatura se expressando e com frieza incalculável.

Fui até a piscina da nossa cobertura e soltei o trinco de segurança da cerca que protegia o local, instalada para evitar acidentes com crianças ou animais de estimação.

Preparei-me para um banho de sol e levei meu filho comigo, deixando-o próximo do pequeno portão um tanto entreaberto. Eu sabia que a água exercia uma atração irresistível para o menino. Propositadamente, fui até a cozinha do apartamento, onde as nossas duas empregadas se ocupavam em preparar o almoço. Demorei-me um pouco mais para retornar, com a desculpa de que eu mesmo faria um suco de frutas, apesar do protesto das profissionais. Disse, com a frieza necessária, que elas estavam muito atarefadas e eu não queria atrapalhar.

Eu ganhava tempo; pareceu-me estar acompanhado de pessoas invisíveis, que envolviam ambas as serviçais de tal forma que elas sequer mencionaram alguma coisa em relação ao menino. Era como se estivessem hipnotizadas, esquecidas por completo da existência dele.

Então, peguei o suco e me dirigi à piscina, onde pude constatar que o garoto de fato havia seguido para a água. Em sua agonia, com alguns pequenos espasmos, demonstrava que sua vida estava realmente chegando ao final.

Um misto de culpa e de satisfação se apoderou de mim; todavia, a ânsia de poder ilimitado foi mais forte e, assim, somente dei o alarme quando vi que muito pouco poderia ser feito.

Promovi tamanho escândalo que as minhas empregadas pensaram de início que eu estava sofrendo algum atentado. Os gritos lancinantes que eu emitia chegaram a ser ouvidos nos apartamentos dos andares abaixo. A correria foi geral entre vizinhos, funcionários do edifício, resgate e hospitalização, enquanto eu promovia as mais diversas cenas de desespero.

Quando a grave notícia foi dada pelo médico de plantão do pronto atendimento, eu apresentei um surto de violência. Aos gritos, quebrando alguns objetos que estavam próximos, somente fui contido pelos vizinhos que me acompanharam, encerrando a peça teatral com um falso desmaio.

Amanda chegou em seguida, depois de ser informada por uma das nossas funcionárias que foi ao seu encalço no shopping onde ela se encontrava. Foi outra incrível representação da minha parte. Parecia estar incorporado por um ator da melhor qualidade, favorecendo lágrimas e desespero que comoviam até os corações mais endurecidos.

Enfermeiros, médicos e pessoas que se encontravam no local chegavam a enxugar lágrimas discretas, derramadas em virtude das minhas palavras de desconsolo e de dor.

13
O CONQUISTADOR

AMANDA PRECISOU DE atendimento emergencial ao chegar ao hospital e constatar que o menino havia expirado cerca de uma hora antes. O sentimento materno não poderia ser avaliado por mim, não só por desconhecê-lo, como também pela frieza de minhas emoções e pela preservação dos meus objetivos escusos com aqueles que pactuavam dos mesmos interesses.

A comoção era geral entre as pessoas sinceras e os bajuladores de plantão, que não perdiam a oportunidade de se mostrarem solidários. Em relação a eles, eu os conhecia bem; uma verdadeira alcateia de hienas, sempre atenta no intuito de angariar vantagens financeiras, mesmo que elas representassem as sobras.

Porém, da mesma maneira que eles procuravam me usar, o mesmo se passava comigo, sendo uma mera condição do 'toma lá, dá cá'. Tinha aprendido a movimentar-me naquela verdadeira selva de interesses pessoais, onde os mais astutos se enriqueciam rapidamente, não deixando pistas para que qualquer um, sentindo-se prejudicado ou buscando tirar o foco sobre as suas próprias falcatruas, viesse a colocar o holofote sobre as negociatas dos outros. Eram cobras comendo cobras. Até durante o velório do garoto surgiam algumas conversas e sinais de tratativas em relação aos acordos realizados, principalmente com o meu sogro, que deixara algumas pontas soltas após a sua morte. Os seus financiadores naturalmente sabiam que, aos poucos, eu estava tratando de assumir a administração. O legado era consistente e oferecia boas margens de lucros para todos, inclusive para mim.

Então, alguns dos tubarões que se aproximavam para prestar suas condolências diziam quase sussurrando:

– Meus sentimentos a você e à sua família, Adalberto. Saiba que estou à disposição para o que for necessário. A propósito, apesar de não ser uma hora adequada, quando tudo estiver reestabelecido, neste momento tão difícil para a sua vida e a de sua esposa, não deixe de me procurar a fim de tratarmos de assuntos importantes.

Era um sinal evidente de que estavam de fato preocupados com a possibilidade de ficarem de fora de qualquer negócio que eu entabulasse com outros parceiros.

Não que me incomodasse a atitude deles em relação ao meu filho morto, o qual, aliás, não considerava como meu mesmo. Em vez disso, permanecia a intuição de que eu me livrara realmente de um fardo que teria de carregar por longo prazo. Mas, se para mim o evento como um todo não fazia a menor diferença, para Amanda e minha sogra o mundo parecia que havia desabado sobre as suas cabeças.

Constatei rapidamente que a minha esposa nunca mais seria a mesma depois do ocorrido, porque adentrou num quadro de profunda depressão, tendo que ser acompanhada a partir de então por psiquiatras que buscavam, de todas as maneiras possíveis, através de drogas cada vez mais potentes, minimizar seu estado enfermiço, pois sua vida tinha perdido completamente o sentido. Se não fosse a medicação corretamente prescrita pelos facultativos, Amanda teria chegado ao suicídio com absoluta certeza.

Do lado da minha sogra, a pobre senhora sofria a olhos vistos com os desdobramentos envolvendo a saúde da filha, servindo de profundo abatimento para a sua vida, envelhecendo-a ainda mais e comprometendo a sua vitalidade. Ela morreria dois anos depois do falecimento do neto, vitimada por um profundo desgosto.

Por minha vez, apesar de achar, em alguns momentos, que exagerava na mão, passei a usar em meu favor certos aspectos do ocorrido, colocando-me como vítima diante de determinadas circunstâncias, o que costumava favorecer em muito as minhas solicitações financeiras quando encontrava pessoas mais resistentes.

Na eleição seguinte, o meu objetivo era o Congresso Nacional. Tinha a nítida impressão de que uma vaga para deputado federal sorria para mim. Com o suporte financeiro que recebia, aliado aos componentes de uma falange espiritual que parecia não encontrar dificuldades para me abrir portas, a conquista dessa posição estava garantida.

E minhas intuições não me enganaram, porque fui consagrado deputado federal com uma margem tão impressionante de votos que acabou favorecendo mais um dos ilustres desconhecidos do partido, eleito pela sobra dos resultados que alcancei.

Finalmente eu estava entrando na capital do país, sentindo-me um verdadeiro conquistador, dizendo para mim mesmo que, em pouco espaço de tempo, eu chegaria a senador e, depois, quem poderia saber, presidente. Sonhar alto sempre fora a tônica adotada por mim. Com os ventos a meu favor, por que não deveria continuar sendo assim? O futuro acenava com um brilho fascinante, bastando que eu continuasse focado nos meus objetivos.

14
NOBREZA CORROMPIDA

COM MINHA EXCELENTE performance na oratória, logo que ingressei nas dependências do Congresso comecei a me associar aos colegas que esposavam causas semelhantes às minhas – a defesa dos próprios interesses –, cujo número era bastante significativo. Precisava me articular não somente com eles, mas também com alguns empresários locais, em sua maioria gente que tinha ligações com aqueles que me apoiavam sem restrições.

A minha agenda de trabalho era repleta, iniciando as atividades em torno de sete horas da manhã e não tendo hora para acabar. As noites eram sempre aproveitadas para jantares de negócios ou festinhas privadas com outros congressistas e partidários. Estava vivendo novamente uma existência de solteiro, porque Amanda, com a depressão profunda que a assaltara e o acompanhamento terapêutico que ela necessitava com grande regularidade, decidira continuar na capital do nosso estado, sendo para mim uma alforria total e conveniente. Estar do lado dos poderosos fazia-me um bem incrível. Eu desfilava com tamanha desenvoltura, como se já estivesse, de há muito tempo, habituado à boa vida palaciana, regada a atenções e prazeres. Chegava a sentir em determinadas ocasiões como se estivesse fazendo uma volta ao passado, em que certas pessoas assumiam características de nobreza da Idade Média; algumas delas, inclusive, pareciam prestar-me reverência.

A princípio cheguei a pensar que se tratava de fruto da minha imaginação, mas com o tempo fui gostando da ideia de ser sempre bajulado por alguns membros mais importantes e com maior influência entre os congressistas. Por sua vez, 'O Senhor' e sua equipe de entidades espirituais pareciam dar as cartas, literalmente dirigindo pessoas ou situações no sentido de atenderem os meus pleitos.

Até um acidente de percurso, de acordo com as minhas convicções, passou sem muita repercussão, pelo fato de minha posição gozar de foro privilegiado e a imprensa ter sido logo abafada. O caso, que poderia ter servido de munição para certos competidores, foi tratado sem muita importância pelos meus colegas de trabalho, em virtude de muitos deles estarem também comprometidos com ações irregulares, por vezes de natureza semelhante.

Resumidamente, numa das noites em que eu me dirigia para um jantar com empresários vindos do meu estado, um rapaz, guiando em alta velocidade, não teve tempo suficiente para frear o seu veículo quando o sinal fechou, vindo a colidir com a traseira do meu. Como de hábito, eu me encontrava no banco de trás. Meu motorista, após a colisão, tomando ciência de que nada grave havia se passado comigo, foi conversar com o jovem.

Ao contrário do que se esperava, pude notar que o rapaz gesticulava de maneira agressiva com o profissional que me atendia. Não suportando assistir à cena da minha posição, peguei a pistola automática que sempre levava na pasta e, colocando-a na cintura, desci do veículo para ver o que estava acontecendo.

O garoto, de uns vinte anos no máximo, com um carro velho, exigia uma indenização, responsabilizando-nos pelo acidente. Segundo a versão dele, meu motorista havia parado bruscamente no sinal, sendo impossível ele frear o veículo em tempo hábil, evitando o desastre. Quando tentei argumentar, ele se irritou ainda mais e, parecendo estar alterado por alguma substância, veio em minha direção, empurrando-me e exigindo que eu pagasse pelo conserto. Antes que o motorista pudesse intervir, saquei do meu revólver no intuito de intimidá-lo.

Quando ele viu a arma, olhou-me nos olhos com expressão de profundo ódio e gritou:

— Não demorou para te encontrar, maldito assassino!

Será com a sua pistola que eu acabarei com os seus dias.

Avançou em minha direção e, então, não tive dúvida alguma das suas intenções. Disparei à queima roupa mais de três tiros em seu peito, levando-o à morte quase que instantaneamente.

O motorista retirou-me rapidamente dali. O caso em si não me abalou absolutamente, tanto é que fui do local da ocorrência direto para o meu compromisso. Somente quando cheguei, tarde da noite, em meu apartamento, recordei-me de parte da frase dita por aquele rapaz e que, de certa maneira, me impressionou: "Não demorou para te encontrar..."

Depois de um banho relaxante, deitei-me e acabei dormindo. Pensei, contudo, em ligar para Enoc, que verdadeiramente se transformara em meu orientador.

15
ORIENTADOR MERCENÁRIO

Por volta das cinco horas da manhã, despertei envolto em grande ansiedade. A espera pelo horário mais conveniente para falar com o meu orientador consumia-me interiormente. Os ponteiros do relógio pareciam estar estacionados no mesmo ponto todas as vezes que eu o consultava.

Depois de uma verdadeira eternidade para mim, em torno das sete horas, decidi ligar. Enoc atendeu-me com a voz de quem acabara de acordar; porém, ao ouvir-me, iniciou suas tratativas rasgadas de elogios:

– Como está indo o meu nobre e querido representante na capital do país?

– Estou preocupado com algo que me aconteceu ontem à noite.

– Diga, meu querido, o que se passou?

Procurei ser o mais sintético possível sobre o ocorrido, salientando a frase do rapaz em relação à minha localização.

Enoc não se fez de rogado e observou:

– Estou ligando os pontos agora que você está me relatando o desagradável episódio. 'O Senhor' comunicou-se pela minha clarividência recentemente, informando que o grupo obsessor que o acompanhava faria tentativas utilizando-se de terceiros para atingi-lo. Sua narrativa confirma as palavras dele. Você disse que o jovem se mostrava provavelmente sob efeito de drogas ou álcool, não?

– Sim, Enoc, foi o que me pareceu...

– Muito bem. Nesses casos, a droga ou o álcool diminui naturalmente a expressão do espírito sobre o próprio corpo, abrindo brechas psíquicas importantes para o acesso de entidades que passam, por vezes, a nos utilizar como verdadeiros objetos. Não que isso ocorra em todos os casos, mas, pelo seu relato, parece-me que o rapaz em questão poderia ter uma dependência química acentuada, apesar da pouca idade.

– Faz sentido, Enoc... Bem, o que deverei fazer de agora em diante?

– Fique tranquilo em relação ao episódio, que felizmente não teve resultados mais significativos para você, demonstrando que a sua proteção é acentuada. De minha parte, vou realizar alguns trabalhos com os nossos guias espirituais a fim de que eles continuem a atuar fortemente em seu benefício.

– Agradeço suas orientações, Enoc!

– Não por isso, meu amigo! Aliás, vou precisar dos valores adiantados para a compra do material necessário, que está cada dia mais caro. Você pode mandar fazer o depósito ainda hoje?

– Com certeza! Obrigado e tenha um bom dia!

Enoc se despediu desejando sucesso em meus empreendimentos e rasgando alguns elogios, os quais, em minha tola vaidade, fazia-me sentir como um verdadeiro deus. Apesar dos valores solicitados por ele serem extremamente altos e com regularidade mensal, eu ordenaria que um dos meus assessores providenciasse os depósitos com grande satisfação, pois tinha confiança cega nesse meu orientador espiritual.

Na verdade, com o passar do tempo, criei uma dependência psíquica tamanha que passei a consultá-lo em cada movimento ou ação que empreendia, num verdadeiro processo de fascinação. As palavras de Enoc ou do 'O Senhor', de quem ele se tornara um medianeiro direto, precisavam ser seguidas à risca para que eu pudesse alcançar resultados positivos com regularidade. Se alguém se colocasse em meu caminho, um trabalhinho extra, realizado pelo meu orientador, ou uma visita de um dos meus seguranças, colocava as coisas em seu devido lugar.

No final, tudo sorria para mim, com exceção da saúde

de Amanda que definhava a olhos vistos. Pobre mulher, que não partilharia comigo a glória de me ver assumir o Senado depois de alguns anos, porque sua depressão, ainda mais aprofundada após a morte de sua mãe, levou-a ao suicídio pela ingestão de medicamentos.

Em meus pensamentos, tinha certeza absoluta de que todos esses acontecimentos faziam parte de um plano maior, visando ao meu sucesso. O dinheiro do qual necessitava parecia brotar das ofertas mais inusitadas, além de vir da herança de parte do patrimônio que pertencia à minha falecida esposa e do qual eu já mantinha severa administração.

16
OS ENCANTOS DA VÍBORA

O QUE É o tempo? Passou como se eu não o tivesse percebido, tamanha a quantidade de compromissos que decidi incluir em minha agenda. Qualquer reunião era motivo para falar de negócios ou fazer intrigas, visando àqueles que não eram meus partidários.

Como senador, o coro dos aduladores cresceu exponencialmente, bem como os aliados que se locupletavam, como eu e vários empresários, verdadeiras aves de rapina, de olho nas gigantescas verbas do governo.

As negociatas obedeciam à mesma estratégia de uma

partida num tabuleiro de xadrez, onde tudo era uma questão de calcular os movimentos seguintes, prestando muita atenção nos lances e nas possibilidades do adversário.

Enoc me supria no roteiro a seguir. Em algumas oportunidades, precisávamos de fato eliminar certos competidores de maneira mais sutil ou mais drástica, dependendo sempre da resistência que o adversário demonstrasse. Minha posição estava cada vez mais fortalecida. A chance de chegar à presidência do Senado não me parecia mais impossível, em virtude da quantidade de aliados que eu fazia, além das preferências do meu partido em função do brilhantismo das minhas atuações.

Como num conto de fadas, tudo caminhava de vento em popa, e a boa vida, com tudo o que o dinheiro farto pode oferecer, era sorvida por mim como se em minhas mãos estivesse uma taça com um raro champanhe. Meu orientador espiritual, em algumas oportunidades, também costumava participar das minhas festinhas privadas com a justificativa de que a carne precisava ser atendida pela carne.

Mas, conforme o ditado popular, tudo o que é bom dura pouco, principalmente quando esse 'tudo' não está baseado em valores sólidos, em que a ética seja a parte preponderante dos pensamentos e das ações.

Numa das tantas movimentações que eu precisava promover para afastar um dos senadores de um negócio que eu passei a ter interesse direto, não percebi que as artimanhas do velho lobo me pegariam de surpresa.

Em minhas festas privadas, eu demonstrava um gosto acentuado pelo que havia de melhor; em relação às mulheres, preferia sempre as mais jovens e até menores de idade, para atender aos meus desvarios sexuais e aos dos meus selecionados convidados.

Numa dessas reuniões, regadas a muita bebida, com cocaína sendo servida em bandejas de prata, envolvi--me com uma delas que, dentre as demais, pareceu enfeitiçar-me por sua beleza e atitudes insinuantes. Ao final do evento, por volta do meio-dia daquele sábado chuvoso, todos os convidados já haviam se retirado, com exceção da moça, que me perguntou se eu não gostaria que ela me fizesse companhia durante o final de semana.

A princípio, minha intuição dizia não ser adequada a continuidade do relacionamento, mesmo durante mais algumas horas; mas, em virtude do charme encantador, acabei cedendo aos seus apelos. Desse modo, a tarde daquele dia foi uma continuidade dos exageros cometidos durante a madrugada. Quando já me encontrava praticamente exaurido em minhas forças, ela serviu-me uma taça do meu champanhe preferido. Sem me atinar para o fato, bebi todo o líquido praticamente de uma só vez.

Imediatamente senti alguma coisa me sufocar, como se mãos extremamente fortes apertassem meu pescoço, enquanto algo me queimava por dentro.

Em meu desespero, pude ouvir a voz daquela criatura de beleza estonteante, mas que escondia em seu interior uma víbora peçonhenta, dizer:

– É cianureto. Morra, maldito infeliz!

Não conseguia atinar com o que estava ocorrendo, porque as cenas seguintes me horrorizaram de tal maneira que, apesar de querer sair do ambiente, algo me prendia como se fossem pesados grilhões.

Recordo-me que pairei sobre o corpo, tentando em vão reanimá-lo. Gritava por socorro, a fim de que algum funcionário viesse até a minha suíte e me tirasse daquela situação, a qual me pareceu a princípio se assemelhar aos pesadelos que eu experimentava com regularidade no passado.

Gritava a plenos pulmões, mas não era ouvido e, para piorar minha desdita, pude observar aquela maldita vestir-se calmamente, cuspir sobre o meu corpo e pegar tudo o que de valor pôde colocar em sua bolsa. Tentei agarrá-la, mas não conseguia mover-me mais do que um metro ou dois do meu corpo que, a partir daquele instante, se transformara em verdadeira prisão.

Ela saiu sorrateira e, como meus empregados, incluindo meu guarda-costas, já conheciam os meus hábitos, colocavam-se discretos em seus aposentos, quando eu estava acompanhado. Os meus pensamentos se transformaram num verdadeiro turbilhão e, por alguns instantes, diante de tanto desespero, perdi os sentidos.

17
CRER FALSAMENTE

Despertei em sobressalto, acreditando piamente que tivera outro dos meus antigos pesadelos; porém, a realidade se contrastava a cada minuto.

Via o meu corpo completamente imóvel, começando a apresentar aspectos cadavéricos. Eu continuava na tentativa de ressuscitar-me, até que um dos funcionários adentrou a minha suíte e, vendo o quadro, deu o alarme.

O meu guarda-costas, homem experiente no trato com a morte, aproximou-se e, após ligeira verificação, vaticinou:

– O senador Adalberto está morto! Pelo que vejo, ele acaba de ser envenenado.

Num lance rápido, deu mais algumas instruções:

– Chamem o secretário dele para que sejam iniciados os procedimentos junto às autoridades competentes e não falem com ninguém, para que nenhum repórter transforme esse episódio num verdadeiro escândalo. A imprensa está sempre buscando alguma coisa para comprometer o senador. Vou em busca daquela moça que estava com ele.

Não podia acreditar no que eu ouvia. Comecei a gritar em desespero com todas as minhas forças:

– Você está louco! Estou vivo, vivo! Socorra-me e leve-me ao hospital para que os médicos me tirem desse estado!

Quanto mais gritava, menos importância as pessoas davam para as minhas súplicas. Tudo se desdobrava como num filme de terror. Gargalhadas sinistras vinham em minha direção sem que eu soubesse de quem ou de onde partiam, fazendo que o meu sofrimento ganhasse maior dimensão.

Simplesmente não podia admitir o que se passava, procurando sair dali. Todavia, estava algemado ao meu corpo. Para o aumento do meu desespero, vinha-me, por intuição, a possibilidade real de ter sido vítima de envenenamento, todavia, o produto utilizado não ter alcançado o efeito desejado, porque me deixara paralisado, porém, não morto.

Agora cobrava-me por sentir-me senhor de todas as situações, uma criatura inatingível. Os provadores dos alimentos eram por mim dispensados, uma vez que eu jamais acreditei que surgiria alguém querendo suicidar-se com a tentativa tola de eliminar a minha vida.

Ao mesmo tempo em que os meus pensamentos se dirigiam para esse ponto, uma voz interior, de supremo orgulho, me estimulava em determinados momentos, criando um verdadeiro paradoxo entre o desespero e o desequilíbrio da autoconfiança sem limites. Adicionava aos meus gritos de dor algumas frases em relação ao estado em que me encontrava:

– Tolos, eu sou mais forte do que vocês poderiam supor! Estou apenas anestesiado. Sairei desse estado para eliminar cada um que tramou contra a minha vida.

Durante certo tempo, tentei me convencer, num verdadeiro processo de auto-hipnose. Passei a ignorar todas as ações posteriores, crendo falsamente que em algum instante os procedimentos médicos e as drogas que me seriam ministradas me libertariam daquele quadro sinistro.

Contudo, o horror tomou tamanha dimensão colocando a minha prepotência em questionamento direto, quando retornei à realidade, vendo-me colocado dentro de um caixão, sendo velado por algumas poucas pessoas sinceras e uma verdadeira multidão de interesseiros destilando expressões emocionais de enorme falsidade. Os comentários surpresos com a minha morte rápida eram eliminados por alguns assessores extremamente bem treinados, que informavam os mais curiosos que o meu decesso se dera por um enfarto do miocárdio.

Eu seguia discordando do que falavam. O pouco que consegui afastar-me do meu corpo foi o suficiente para surpreender um dos adversários políticos fazendo chacota do meu estado. Não suportei tamanha afronta e, aos brados, em seu ouvido, disse-lhe:

– Você faz troça da minha condição por inveja, incompetente maldito. Vou acabar com você com as minhas próprias mãos!

Saltei como um felino sobre a sua garganta; porém tive a impressão de que não conseguia causar-lhe dano direto. Somente observei que ele pigarreou, levou uma das mãos em direção ao colarinho e, sentindo que algo o incomodava, soltou um pouco o nó da gravata. Pedindo licença para o seu interlocutor, informou que precisava tomar um pouco de ar fresco.

Não consegui acompanhá-lo, porque a limitação agia fortemente sobre mim. Como se fosse um ímã, meu corpo me sugava para perto dele, onde novamente eu voltava a ouvir as gargalhadas estridentes e algumas ameaças de alguém, cuja voz rouca não me era estranha, insistindo em me dizer repetidamente:

– Isso é só o começo, seu assassino miserável! Você não pode imaginar o que está por vir.

Voltei a desesperar-me de tal forma que me sentei no piso e tapei com as mãos os meus ouvidos. Cerrei os olhos fortemente, repetindo para mim mesmo:

– Calma, isso vai passar, isso vai passar! É só um pesadelo, apesar de parecer real. Logo estará terminado e despertarei em paz.

18
ACERTO DE CONTAS

Contudo, a paz tão esperada através de um simples despertar não se materializava; antes, o inferno em que eu estava somente aumentava de dimensão. De repente, me senti ser arrastado. Ao abrir os olhos, notei que estava entrando na alameda de um cemitério. Por mais que eu lutasse, não conseguia libertar-me do caixão que seguia um pouco mais à frente.

Retornei aos meus brados de súplica para que alguém intercedesse em meu socorro, mas apenas continuava a ouvir gargalhadas sinistras e impropérios dirigidos a mim. Procurava entre as pessoas alguém que me auxiliasse naquela hora. Eis que, próximo ao túmulo aberto onde estavam depositando o ataúde, reconheci os meus pais, muito mais envelhecidos, porém, eram eles mesmos. Aflito, gritei:

– Mãe, pai, por misericórdia, não deixem que me enterrem! Estou vivo! Intercedam por mim, salvem-me da morte certa!

Entretanto, eles pareciam também estar completamente indiferentes ao meu sofrimento, apesar de eu poder divisar as densas lágrimas que escorriam dos seus olhos.

Subitamente, senti que um anestésico me era ministrado e, estranhamente, partia do coração da minha genitora, que orava, pedindo a Deus por mim. Aos poucos, uma sensação de profundo bem-estar invadiu-me e eu adormeci pesadamente.

Quando despertei, a primeira impressão que tive foi a de estar em casa; mas, ao ver o meu corpo ao meu lado, apavorei-me. Num sobressalto, procurei sair daquele local lúgubre o mais depressa possível; todavia, sem sucesso.

Percebi que finos filetes esbranquiçados continuavam a exercer o papel de grilhões à estrutura somática que eu tinha absoluta certeza não mais me pertencer. Com esforço inaudito, apenas consegui ficar do lado externo do túmulo, andando ao redor dele, sem que pudesse fazer algo para afastar-me dali.

Fui surpreendido por uma voz sibilante que eu reconheci de imediato. Só poderia ser do 'O Senhor'.

Ao olhar em sua direção, assustei-me ao vê-lo, com a sua estrutura monstruosa e a carantonha demoníaca, junto com um séquito de miseráveis esfarrapados; alguns tão deformados que seria impossível dizer se eram pessoas ou seres mitológicos.

Ele olhou-me de forma desprezível e disse:

– Infeliz incompetente, deixou-se matar com um dos recursos mais antigos existentes no mundo para eliminar indesejáveis, o veneno. Você receberá total desprezo, por ser um traidor dos meus interesses. Sua pena será o abandono completo, para que fique nas mãos dos seus antigos algozes, que já tive o trabalho de afastar por certo tempo. Sofre, maldito!

Virou-me as costas e partiu, apesar dos meus rogos para que não me tratasse como um traidor. Naquele momento eu necessitava de auxílio para sair daquele local. Tudo em vão! Preso ao corpo, sentia ainda a ação dos vermes me roerem sem piedade. Quanto mais me debatia, mais piorava a provação.

Não sei quanto tempo fiquei daquela maneira, com as sensações indescritíveis de dor. Até que certo dia me vi libertado daquele corpo ou do que sobrara dele, e acreditei falsamente que estava isento daquele terror.

Encaminhei-me para a alameda central do cemitério, procurando a saída, quando fui interceptado por um grupo, cujo representante, de voz rouca, também reconheci quando dos meus pesadelos. Ele disse:

– Alto lá! Onde o passarinho que acaba de sair da gaiola pensa que vai? O que você passou até o momento foi apenas o início do nosso acerto de contas. A partir de agora, inicia-se a fase da sua punição.

Virando-se para a turba que o acompanhava, ordenou:

– Vamos, acorrentem este cão sarnento e apliquem a primeira sessão de chibatadas! Para começar, trinta será de bom tamanho.

Aproximou-se e, com violento golpe em meu rosto, fez com que eu caísse de joelhos à sua frente. Cruelmente, segurou-me pelos cabelos e, olhando no fundo dos meus olhos com uma expressão de ódio indizível, bradou:

– Você será o nosso animal de carga e receberá, como paga, uma boa surra diária. Você nem imagina o que está por vir.

Dirigindo-se para o seu grupo de feras, ordenou novamente:

– Iniciem o flagelo!

19
O RESGATE DO INFERNO

Andando por lugares escabrosos, de uma escuridão permanente, seguindo aquela malta desumana, acorrentado pelos pés e sendo tratado pior que um cão, comecei a perder a noção do tempo. As humilhações, para mim, passaram a ser suportadas com facilidade, diante dos espancamentos constantes e lascívias a que eu era submetido à força. Quanto mais implorava misericórdia, tanto mais piorava a minha condição de verdadeiro escravo.

Suplicava em altos brados para que acabassem com

a minha vida, mas obtinha, como resposta, zombarias as mais diversas, seguidas sempre de gargalhadas estridentes.

O chefe do bando, o mais cruel de todos, se referia a mim em tom jocoso:

– Vejam esta maldita criatura querendo morrer! Nem sequer atina com a realidade, a de que nunca passou de um cadáver ambulante, mesmo quando ocupava o corpo de carne. Quanto mais pedir por clemência, mais deverá ser castigado, pelos muitos crimes que cometeu não apenas em sua última existência, mas principalmente naquela em que desgraçou a minha vida e a da minha família.

Segurando-me bruscamente pelos cabelos e cuspindo no meu rosto, gritava:

– Seu animal! O que fazemos para você é muito pouco diante de tudo que sofremos em suas mãos. Seus inimigos não estão somente em nossas fileiras; você os possui em grande quantidade. Somos, para alguns deles apenas representantes dos seus desejos de vingança. Seus crimes são tantos que você deve nos agradecer pelo pouco que sofre agora.

Depois de se dirigir a mim, o que era muito raro acontecer, eu já esperava pelo pior, porque, em seguida, ele se voltava para um dos seus asseclas e ordenava satisfeito:

– Hoje estou me sentindo mais caridoso. Então, aplique vinte e cinco chibatadas e não trinta como de costume.

Além da tortura da ignorância sobre a minha própria situação, a sede e a fome me assaltavam sem trégua. Eu fazia de tudo para morrer; contudo não conseguia alcançar o meu objetivo. Clamava por todos aqueles que conhecia – Enoc, meus assessores, seguranças, guarda-costas –, mas as únicas respostas que obtinha eram mais achincalhes.

Dentro dos meus devaneios, passei a conviver com a ideia de ter sido raptado por esse grupo de miseráveis e prováveis justiceiros, que deveriam ter sido enviados pelos meus inimigos políticos. Tentava manter esta realidade em minha mente para não perder a razão em definitivo; porém, rotineiramente me questionava se todas essas experiências não eram a própria esquizofrenia.

Os únicos instantes de refrigério que sentia invadindo o meu interior era a lembrança da minha mãe, que se projetava em meus pensamentos como se fosse uma cena viva. Eu podia divisá-la de joelhos, orando e pedindo a Deus por mim. Quando essa visão se esvanecia, a realidade, ou a minha enfermidade, surgia com a crueza de sempre, com aqueles monstros diante de mim procurando de todas as formas vilipendiar-me.

Certo dia, ou certa noite, não saberia especificar mais a questão do tempo, exaurido com o tratamento que me era reservado, as visões da minha genitora impressionaram-me mais fortemente, tamanha a realidade em que se mostrava. De imediato, comecei a implorar por perdão e socorro em nome de Deus, porque, se fosse possível Ele existir, conforme a crença dela, eu poderia ser atendido diante do inferno que experimentava.

Não demorou para eu passar a divisar, naquela bruma

escurecida, um grupo que aos poucos foi se destacando pelos uniformes semelhantes aos militares que eu conhecia, com bastões que emitiam uma luz discreta.

Um dos componentes da malta que me escravizava, ao vê-los, deu o alarme:

– A polícia está dando batida por aqui. Fujam, fujam!

A confusão se estabeleceu, apesar de o líder dar ordens em contrário:

– Parem com a balbúrdia, seus covardes! Não se trata da polícia, mas de grupos candidatos a santos. Podemos expulsá-los!

De pouco adiantou os gritos de ordem do chefe, diante do pânico de alguns de seus asseclas secundados por aqueles do grupo que demonstravam total inconsciência do que ocorria. Naquele rebuliço, um deles, reforçando o momento de pavor, disse:

– Nada disso! O meu primo foi apanhado por esses oficiais e nunca mais voltou.

O chefão, espumando de raiva, o esbofeteou, ordenando:

– Cale-se! Seu primo era um poltrão e se foi com esses 'santinhos' salvadores por decisão própria.

Nada adiantou, porque os componentes da malta iniciaram a fuga, deixando o líder acompanhado apenas por um dos seus seguidores mais fiéis.

Eu me encontrava abatido; com as correntes que me prendiam os pés, pouco podia fazer. Continuei sentado, com receio de qualquer movimentação, firmando-me no objetivo central de preservar-me de mais um provável espancamento.

O grupo estancou próximo a mim, sendo, porém, imediatamente interpelado pelo meu chefe:

– Não existe coisa alguma aqui que possa ser do interesse de vocês. Portanto, caiam fora, antes que eu tome medidas drásticas!

Do lado contrário, um dos militares, pelo menos assim me pareciam, tomou a frente e respondeu:

– Caro irmão, pelo que vejo, você não está em condição de oferecer qualquer tipo de risco para nós. O grupo que o acompanhava debandou e, de nossa parte, resta-nos o prazer de lhe oferecer um convite para acompanhar-nos e deixar essa vida de contrariedades, que, conforme você não ignora, custa-lhe muita dor e sofrimento, principalmente por estar alijado daqueles que lhe são mais caros, seus familiares, por exemplo.

O militar foi imediatamente interrompido pelo seu interlocutor:

– O que sabe você a respeito da minha vida, família ou de outros interesses que tenho? Cuida da sua vida, seu maldito intrometido, e me deixe com o meu séquito!

– Queira me desculpar, mas estamos em missão de resgate do nosso Adalberto, que você e o seu grupo mantêm em regime de extrema escravidão. Sairemos daqui com ele, esperando não ter que utilizar de metodologia mais efetiva.

– Escute, seu metido a santo, eu não tenho receio das suas ameaças. Este traste me pertence por direito de justiça e ainda não foi supliciado o suficiente.

– Novamente, meu irmão, permita-me discordar, porque somente as leis do Altíssimo contêm a justiça verdadeira, que educa sem punir. Assim, peço que não interfira.

– Miserável! Você se aproveita do pânico das minhas fileiras para levar vantagem. Não pense que nós desistiremos facilmente, porque um dia nós o reencontraremos através das suas vibrações criminosas. Agora, vá, pegue esse resto de homem à sua frente e desapareça daqui!

O militar aproximou-se e, dirigindo um olhar de extrema bondade para mim, falou:

– Vem conosco, meu irmão, suas súplicas sinceras foram ouvidas em conjunto com as preces intercessórias em seu favor realizadas por sua mãe. Encerra-se aqui o período de dor para ter início a oportunidade do resgate educativo.

Ainda pude ver alguns dos componentes daquele grupo abençoado armando e instalando-me numa espécie de maca. Logo depois, uma jovem colocou a sua mão no alto da minha cabeça. Foi o suficiente para que eu sentisse uma sonolência irresistível, tal como um poderoso anestésico. Quis balbuciar algo, mas fui convidado ao silêncio com as poucas palavras que pude registrar:

– Fique em paz e descanse, meu irmão!

20
ATITUDES ARROGANTES

Como acontecia com regularidade, despertei num sobressalto. Ao tomar ciência de que me encontrava num ambiente completamente higienizado, com paredes brancas e instalado em cama confortável, confirmei que deveria ter sofrido alguma espécie de acidente e agora estava saindo de um provável coma, no qual pesadelos cruéis tinham me assolado o tempo todo.

Dentro do possível, analisei mais atentamente o que me cercava e pude ver, então, alguns aparelhos que se assemelhavam a equipamentos hospitalares altamente sofisticados. O máximo que pude enxergar foram alguns pequenos tubos que se inseriam numa espécie de manta me envolvendo o peito. Mais uma indicação segura de que eu provavelmente experienciara um enfarto do miocárdio.

Estava envolvido nesses pensamentos consoladores, quando uma profissional adentrou meu apartamento, saudando-me:

— Boa tarde, Adalberto! Pude constatar seu suave despertar pelos instrumentos em nossa sala de acompanhamento dos pacientes. Sou a doutora Margarida. Como está se sentindo?

— Bem, eu acho... Que local é este, ou melhor, em que hospital eu me encontro internado?

— Você é um paciente do Complexo Hospitalar Bezerra de Menezes.

— Então eu sofri algum enfarto, acidente vascular cerebral ou algo assim?

— Por enquanto, digamos que foi um acidente com longo período de parada respiratória.

— Contudo, pelo que percebo, doutora, meu cérebro felizmente não foi afetado, já que estou completamente consciente, livre até mesmo dos pesadelos horríveis que pareceriam durar uma eternidade. Sinto-me fraco... Como não consigo levantar sequer a minha cabeça, não vejo o meu corpo. Constato apenas os aparelhos e esses pequenos tubos que estão conectados com o meu corpo, estou certo?

— Sim. Eles abastecem você das energias necessárias para que a sua recuperação se faça no menor prazo possível.

– E essa indisposição, doutora?

– Tende a passar com o correr das semanas.

– A senhora disse semanas?

– Exato. Porém, não se preocupe com o tempo. O importante é o seu restabelecimento.

– Mas desculpe se insisto... Eu sou um homem ocupado, com uma agenda repleta de compromissos. Preciso retornar ao trabalho, reunir-me com os meus assistentes, comparecer às sessões no palácio, enfim...

– Enfim, Adalberto, todos esses detalhes foram suspensos diante do imprevisto. Peço que apenas mantenha-se calmo e permita que a terapia surta efeito no menor prazo possível.

– De maneira alguma, doutora! Preciso sair daqui, aliás, gostaria que a senhora me informasse o real motivo da minha internação e parasse com as evasivas. Sou um homem prático; portanto, peço que sejamos objetivos. Pelo que estou observando, talvez você não saiba com quem está falando, estou certo? Geralmente não preciso chegar ao ponto de ter que fazer pedidos. Então o que vai ser?

Ela foi até um pequeno aparelho que estava próximo da minha cama. Pude verificar que tocava em determinado detalhe na tela.

Virou-se em seguida para mim, respondendo:

– Fique tranquilo que eu particularmente sei muito bem com quem estou falando; até porque, temos em nossos arquivos uma infindável quantidade de informações dos nossos pacientes. Você pergunta o que vai ser, correto?

– Corretíssimo! – respondi demonstrando todo o meu enfado.

– Vou lhe aplicar mais algumas horas de sonoterapia, para que eu possa retornar posteriormente e retomarmos a nossa conversa. Descanse!

Quis protestar sobre o tratamento que aquela prepotente doutora, aos meus olhos, estava ministrando; todavia mal consegui articular uma palavra, porque um sono anestésico invadiu-me de tal forma que eu simplesmente apaguei.

21
SUBLIME DESPERTAR

– Adalberto, vamos, acorde!
– Hã? Quem... Onde estou?
– Você continua no Complexo Hospitalar.
– O senhor é...
– Sou o doutor Valentin, médico responsável por esta ala de pacientes recém-chegados.
– Sim, sim, agora me recordo. Estou vendo que o senhor está acompanhado da doutora...
– Exatamente! Ela é encarregada dos cuidados iniciais em casos de natureza semelhante ao seu, de quem tem lucidez razoável para os esclarecimentos que se façam necessários.

– Talvez, doutor Valentim, sua colega não tenha entendido minhas prioridades. Simplesmente procurou solucionar o impasse existente com um sonífero, segundo suponho.

– As medidas levadas a efeito pela doutora Margarida são adequadas, visando à manutenção do seu estado consciencial, evitando que rusgas ocorram e levem o paciente ao desequilíbrio, comprometendo a terapia em curso.

– Doutor, me desculpe o senhor também, mas não entendo por que os assuntos que me dizem respeito são tratados com tantos rodeios – falei demonstrando meu desagrado, por notar que o procedimento do facultativo se assemelhava em muito com a conversa anterior que eu tivera com a sua colega.

Ele não se alterou com as minhas colocações mais enérgicas, demonstrando ares de quem sabia lidar, com experiência de muitas décadas, com pacientes insistentes. Olhando-me com bondade, falou:

– Utilizamos duas formas para apresentar a realidade dos fatos para os nossos irmãos resgatados com características muito parecidas com as suas: o despertamento objetivo ou o gradual.

– Como já informei à doutora Margarida, sou um homem prático; prefiro tratar objetivamente daquilo que me diz respeito, mesmo que os resultados não estejam saindo a contento.

– Muito bem. Sinto que a terapia de choque seja realmente a mais recomendada no seu caso, ainda mais pelas análises realizadas pela minha colega. Vamos lá! O seu desencarne...

– Perdão, perdão... Não querendo interromper, mas já interrompendo, que história é essa de desencarne?

– Meu caro Adalberto, esse termo é conveniente para todos os espíritos que estejam vivenciando a volta para a dimensão espiritual, nossa verdadeira morada, porque, objetivamente, ninguém morre. Entretanto, existe sim uma espécie de 'morte' para aqueles que já estão na condição de cadáveres ambulantes, que podem se encontrar tanto no corpo somático quanto fora dele, que se constituem de criaturas completamente inúteis para si próprias e também para o próximo, conforme ensinamento do nosso Senhor e Mestre. Este, referindo-se a essas criaturas, disse: "Deixa que os mortos enterrem seus mortos!"

– Não sou afeito aos aspectos religiosos, doutor, porque creio firmemente que a religião é, na realidade, o ópio do povo.

– Contudo, o meu caro irmão não deixava de participar dos cultos de várias delas, no sentido de angariar votos, dando de ombros para o sentido verdadeiro que cada uma possui como direcionamento central: conduzir o homem a Deus.

– Doutor, peço novamente que me desculpe, mas, se pudermos voltar ao item principal da minha presente internação, eu ficaria muito agradecido.

– Pois não, Adalberto! Conforme ia dizendo, a terminologia utilizada para a 'morte' do corpo físico é a desencarnação.

– Ora, isso é um completo absurdo, pois nunca me senti tão vivo, apenas extremamente enfraquecido por uma enfermidade que ainda não me foi esclareci-da devidamente.

– A sua enfermidade central é o egoísmo exacerbado, levando-o à prepotência de sentir-se acima das criaturas e do próprio Criador. A morte por envenenamento que lhe ceifou a última existência está se constituindo em um tratamento inicial, visando a quebrar-lhe as estruturas enganosas do seu orgulho, que, aliás, o cega há várias reencarnações.

Apenas a dor superlativa, aplicada por criaturas tão alienadas em relação à justiça divina e aos valores do respeito à vida, como também é o seu caso, pode despertá-lo do seu mundo particular, onde os fins justificam os meios.

Respeitando o seu ponto de vista em relação à divindade, agradeça pelo menos a sua mãe, que se tornou veículo de literal socorro nas preces intercessórias realizadas em seu favor. Foram exatamente as rogativas feitas por aquela alma bondosa, que você também desprezou, que abriram brechas no seu psiquismo adulterado, fazendo com que, em determinado instante, a humildade fosse exercitada em pedido sincero de intercessão, para que o grupo encarregado de resgates nas zonas de dor pudesse encontrar subsídios suficientes para retirá-lo do estado escravizante em que o colocaram.

– Doutor, tudo aquilo não passou de terríveis pesadelos, de uma doença sobre a qual ainda não fui esclarecido. Isso aqui, sim, é real, porque, felizmente, eu despertei.

– Em parte, o que você diz é verdadeiro, Adalberto. O

despertar de uma moléstia que lhe consome há séculos está aos poucos acontecendo. Gradativamente e com esforço redobrado, depois de várias reencarnações de provas e expiações, você conseguirá se curar pelo exercício do amor e respeito à vida onde quer que ela se manifeste. Conforme esclareci anteriormente, o egoísmo é a grande enfermidade de uma parte da humanidade que insiste em viver no primarismo da existência, cumprindo automaticamente com os princípios básicos do nascer, crescer, reproduzir-se, cuidar das crias e morrer.

– Isso é inaceitável, doutor! O senhor fala como se estivesse do alto de uma tribuna, porém sem provas efetivas. Estou habituado a esse tipo de atitude na minha exitosa carreira política.

– Você exige provas e concordo integralmente com o seu pedido. Então, Adalberto, vamos aos fatos!

O facultativo, dirigindo-se à sua colega, solicitou:

– Doutora, por favor, apresente os quadros mais significativos para o nosso irmão, a começar do momento em que ele foi envenenado pela jovem contratada por um dos seus mais ferozes adversários, utilizando-se de práticas parecidas com as que o nosso paciente estava acostumado.

Pelo pouco que podia mover a minha cabeça, pude observar que a médica colocou uma pequena touca parecida aos kipás utilizados pelos adeptos do judaísmo, porém, com um fio que se ligava ao mesmo aparelho que estava próximo da minha cama.

Imediatamente, imagens começaram a ser projetadas na minha frente, em dimensão real, sendo possível perceber todas as sensações vivenciadas por mim. Era como assistir a uma peça teatral onde o expectador e o ator se transformam na mesma pessoa.

As cenas mais importantes corriam céleres, entrecortadas por imagens vivas da minha mãe orando por mim, chegando até o momento da minha súplica sincera por socorro. Eu, que procurava controlar os sentimentos para não apresentar as fragilidades que mantinha em meu íntimo, não resisti e deixei que lágrimas abundantes banhassem o meu rosto. Não podendo suportar mais, contudo, tentando retomar o controle daquela situação, solicitei:

– Já é o suficiente! Todavia, como não atribuir tudo isso aos sonhos desagradáveis que fazem parte das minhas noites?

– Nunca foram sonhos puramente vinculados às questões cerebrais, Adalberto. Na maioria parte, seus contatos com espíritos desequilibrados se davam pelo processo natural do desdobramento. Mas, para que você confirme e elimine as dúvidas em relação aos acontecimentos, peço que olhe para o seu próprio corpo.

O facultativo inclinou a minha cama levemente e retirou o lençol de um tecido fino, sem qualquer transparência. Pude observar o estado em que me encontrava: esquálido, com marcas e escoriações produzidas pelos maus tratos sucessivos por todo o corpo, além daquelas nos tornozelos, deixadas pelo longo período de utilização de correntes.

Não posso calcular a dor que senti, diante da realidade que se apresentava. Todavia a dupla que estava à minha frente, verdadeiros benfeitores, se aproximou e, com movimentos rápidos das mãos em direção à minha cabeça, fizeram com que eu começasse a experimentar uma suave sonolência, dando-me a impressão de que retornava à casa onde vivi os primeiros anos da minha última existência, instalado no regaço amoroso da minha mãe, que cantarolava uma canção para que eu dormisse em paz.

22
OS BENEFÍCIOS DO PERDÃO

SE OS PRIMEIROS dias de internação em meu estado de vigília foram de relativa paz, o mesmo não acontecia em relação às minhas noites, que eram sempre recheadas dos mais terríveis pesadelos. É que eu simplesmente continuava vivenciando as cenas de maus tratos que recebi por largo período, entrecortadas pelos encontros libidinosos e as negociatas com os empresários do tráfico de drogas e de armas.

As acusações de homicida eram feitas numa ladainha infernal, fazendo com que geralmente eu despertasse aos brados, várias vezes durante a mesma noite. Em todos esses desagradáveis momentos, porém, eu era amparado por enfermeiros diligentes, que acorriam visando a minimizar os meus desconfortos.

O processo que eu experimentava era de uma tortura sistemática, dando-me a impressão de que, de um momento para outro, a esquizofrenia se instalaria em definitivo. Em uma das tantas questões que eu apresentaria para a doutora Margarida, fui esclarecido sobre algo, naturalmente dentro do que eu poderia compreender naquele primeiro momento. Ela assim me orientou:

– Os desconfortantes momentos que você experimenta têm dois pontos centrais que necessitarão de largo período para serem trabalhados, incluindo várias reencarnações. O tempo empregado, é claro, dependerá do seu esforço pessoal.

– A senhora falou a respeito de dois pontos principais. Por favor, poderia especificá-los?

– Sinteticamente é possível. O primeiro deles são as suas próprias recordações das reuniões estratégicas que eram realizadas com os chamados mercadores da morte. Os registros que permanecem na sua memória confrontam-se diretamente com os valores reais daquilo que somos como criaturas de Deus, com todos os quesitos lastreados no amor, sendo que alguns deles em franco desenvolvimento em nosso estado atual de evolução. Equivale a dizer que o certo e o errado já estão firmados em nossa consciência; por isso, todas as vezes que nos colocamos contrariamente à nossa real natureza, estamos criando um confronto interno a se manifestar das mais diversas formas, refletindo em nós também como enfermidades psicossomáticas.

– Entendi... E o segundo, doutora?

– São causados pelos obsessores que atuam mentalmente à longa distância. Seu envolvimento com mentes inteligentes, porém desequilibradas, foi de longo curso, considerando ainda aqueles espíritos que, de uma maneira ou de outra, sofreram prejuízos diretos ou indiretos e não lhe perdoaram. Essas ligações mentais serão interrompidas quando forem solucionados os transtornos ocorridos, através da renovação das suas atitudes, desta vez baseadas no amor, a fim de que, dessa forma, essas energias sejam transubstanciadas.

– Energias, doutora?

– Sim, Adalberto, nossos pensamentos são agentes energéticos, matéria viva. Assim, ao emiti-los, entramos em contato com mentes afins, sem qualquer relação com a distância. Onde estivermos, atrairemos o bem ou o mal, de acordo com os nossos mais íntimos desejos.

– Então, quer dizer que não conseguirei minimizar os padecimentos que venho experimentando, doutora?

– Se fosse assim, estaríamos condenados ao inferno criado pelas visões distorcidas que tínhamos a respeito do nosso Criador, classificando-O como justiceiro vulgar, quando Jesus nos ensinou exatamente o contrário em relação ao amor que o Pai dispensa a toda a sua criação. Entre tantos ensinamentos belíssimos do Mestre, destaco apenas um, pela pertinência deste nosso momento. É sobre a bondade de Deus e foi registrado por Mateus em 5:43-48: "Ouvistes que foi dito: Amarás o teu próximo, e odiarás o teu inimigo. Eu, porém, vos digo: Amai a vossos inimigos, bendizei os que vos maldizem, fazei bem aos que vos odeiam e orai pelos que vos maltratam e vos perseguem, para que sejais filhos do vosso Pai que está nos céus. Porque faz que o seu sol se levante sobre maus e bons e a chuva desça sobre justos e injustos. Pois, se amardes os que vos amam, que galardão tereis? Não fazem os publicanos também o mesmo? E, se saudardes unicamente os vossos irmãos, que fazeis de mais? Não fazem os publicanos também assim? Sede vós, pois, perfeitos, como é perfeito o vosso Pai que está nos céus."

Novamente uma avalanche de lágrimas me calou por vários minutos. Eu, que fora até então frio e calculista, estava me deixando abater pelas verdades que se estampavam a minha volta. Quanto havia a ser refeito pelo meu egoísmo e incúria... E que bondade divina era aquela que me tirara dos mais primitivos sofrimentos para dar-me uma nova chance? Aos soluços, procurei retomar o diálogo, lançando ainda mais uma pergunta:

– Meu Deus! Como poderei reverter tudo o que fiz, apesar de acreditar enganosamente que agia de maneira correta?

– A prece, Adalberto. Para começar, recorra à oração intercessória por todos aqueles que foram prejudicados direta ou indiretamente pelas suas atitudes ignorantes ou insanas. As nossas rogativas produzem verdadeiras maravilhas nas ligações criatura-Criador, pacificando o nosso íntimo e levando vibrações de soerguimento para aqueles que um dia prejudicamos. Aliás, quem de nós não se equivocou ou ainda não se equivocará? Então, antes da manutenção da culpa, devemos buscar o trabalho edificante em favor do próximo, considerando que podemos iniciá-lo agora mesmo, através das nossas preces envoltas em pedidos de perdão.

– Não sei se consigo, doutora... Conscientizar-se é como implementar o inferno em nós mesmos.

– Isso é completamente desnecessário, Adalberto. Exercite-se no autoperdão, para que você possa materializá-lo na relação com o semelhante. As leis do Criador não nos eximem da responsabilidade dos nossos pensamentos e atos; porém, como são leis de amor, não estão vinculadas a qualquer processo de acusação descabida ou punição, mas sim à educação daquele que se transviou.

Se não tínhamos noção do que estávamos fazendo, ao nos conscientizarmos sobre os reais valores da vida, podemos buscar fazer o bem diretamente a quem prejudicamos, ou então, em memória deles, pois muitos daqueles que prejudicamos no passado podem nos ter perdoado a insensatez, dando continuidade aos seus processos evolutivos. Dessa forma, beneficiaremos a terceiros, fazendo com que as energias do bem, de uma maneira ou de outra, possam atingi-los, pelo crédito que eles conquistaram através do exercício do perdão em nosso favor.

– Farei conforme a senhora me orienta, doutora. Como não posso ainda me mover, começarei com as minhas preces, pedindo ao Criador que me ampare, para que um dia eu também possa amparar. Sei que estou no início, mas farei o meu melhor!

– Esse é o início da nova caminhada, Adalberto, o qual apresentará em breve maiores desafios, preparando-o para o serviço da própria regeneração.

23
MANTER A ESPERANÇA

Alguns meses se passaram até que eu tivesse condições de voltar a caminhar com as minhas próprias pernas, depois de incansáveis exercícios em salas de recuperação. Minha fraqueza extrema foi sendo aliviada gradativamente pelas sessões de fluidoterapia, ao mesmo tempo em que me foi oferecido um curso para o estudo do Evangelho.

À medida que eu participava das aulas e dava continuidade aos estudos como um autodidata, constatava, através de horas de meditação, o tamanho dos equívocos em que me envolvera, fazendo que inúmeras criaturas, minhas próprias irmãs diante do Criador, sofressem através de meus atosególatras, desprovidos de qualquer respeito pela vida do meu semelhante. Quantas lágrimas derramadas no silêncio da noite, para me referir apenas ao pouco que recordava dos excessos cometidos na minha última existência!

Um dos meus professores, a quem me afeiçoei pela similaridade das atividades quando no planeta, procurava me confortar, inspirando-me o exercício rotineiro da autoaceitação e do foco literal na substituição de pensamentos e hábitos infelizes. Olegário, esse meu novo benfeitor, havia seguido a carreira de político em país vizinho ao Brasil, tendo alcançado o cargo de ministro das finanças; porém, sem nunca se deixar corromper, mantendo-se dentro de uma ética inatacável.

Considerado, por alguns, como um estúpido, por não se utilizar das prerrogativas do cargo (como se fosse obrigatório ser corrompido ao gerenciar verbas públicas), viveu com simplicidade, desencarnando com a consciência do dever cumprido em favor da sociedade que lhe dera crédito em toda a sua carreira.

Certa vez, em uma de tantas conversas, as quais para mim se tornaram verdadeiras instruções de direcionamento em meus novos propósitos, disse-me ele:

— Adalberto, confesso que a prova à qual me submeti foi deveras difícil pelas oportunidades que o cargo me oferecia, não só pelo volume de recursos que eu dirigia, mas também pelas mínimas convenções sociais em que procuravam me destacar, a começar pela posição da mesa em restaurante da minha preferência. Sendo sincero, as tentações para que eu me transviasse se materializavam à minha frente; contudo elas constituíam os desafios para testar minha firmeza de caráter e exercício da moralidade lastreada nos ensinamentos do Evangelho. Eu me perguntava sempre: por que abraçar os ensinos do Cristo, que eu recebera desde pequeno através dos esforços diários dos meus pais, se não for para colocá-los em prática?

Seguir uma religião pelo simples prazer de oferecer à sociedade uma imagem de bom cidadão não fazia para mim sentido algum. Então, procurava materializar nas minhas relações pessoais e de trabalho os valores apresentados por Jesus. Assim, quando eu era admoestado por um ou outro, pelo fato de não aceitar pequenos presentes, favores ou bajulações, procurava reforçar em mim mesmo as prerrogativas de que é possível servir sem a necessidade de se corromper em qualquer campo em que estejamos situados.

Buscava, assim, a assistência dos santos, uma vez que a minha orientação religiosa estava sustentada nas ideologias católicas. Mas eu lhe afirmo: a assistência nunca me faltou. Nos momentos mais delicados, recebia inspirações do Alto, as quais me serviam para clarear as decisões. Mas, logicamente, como um ser humano falível que se encontra em aprendizado, não pude acertar em todas elas; mas em boa parte.

Quando deixei em definitivo o corpo que me serviu por mais de 80 anos no planeta, fui recebido, neste lado da vida, por parentes e amigos, além de inúmeras pessoas que eu sequer conhecia, mas que tinham sido beneficiadas pelas medidas positivas que eu e minha equipe efetivamos, no sentido de que os recursos públicos fossem bem gerenciados. Naturalmente, não me vanglorio de coisa alguma, porque, tendo sido um governador de província em outra existência, cometi todos os desmandos que me foram possíveis; mas, depois de amargar nas zonas inferiores, fui recolhido por uma das várias instituições localizadas na dimensão espiritual próxima à Terra. Fui devidamente esclarecido e, depois de lutar muito contra as minhas fragilidades, solicitei a prova da administração dos bens coletivos, que acabo de narrar. Não pense, porém, que assim foram encerrados os meus débitos para com a sociedade daquela época. Essa existência que utilizei para exercitar uma das supremas qualidades do espírito, que é a honestidade de princípios para consigo próprio e para com o semelhante, foi a primeira bem-sucedida depois do desastre de uma administração ditatorial naquela província. Daqui a algum tempo, terei de acertar-me com a minha consciência, tentando de alguma forma beneficiar quem prejudiquei diretamente. Ou trabalhar no bem em favor do maior número de criaturas, em memória daqueles que me perdoaram, mas que são merecedores de receberem da minha parte o esforço da mudança para melhor.

– Nesse particular, professor Olegário, eu sofro as ações diretas de mentes que foram lesadas pela minha total ignorância, apesar de insistir na prece em favor daquelas almas. A maioria delas, aliás, eu sequer conheci.

– Compreendo, porque também necessito administrar esses desvios, frutos dos meus desvarios. Contudo, a prece produz a paz, não somente da nossa consciência, mas também daqueles que um dia foram prejudicados por nós, acalentando os corações e dando-lhes esperança. Portanto, insista, não desanime, porque a prece é luz viva, e levar a luz onde um dia reinou as trevas é tarefa de todos os espíritos que procuram seguir Jesus.

Acima de qualquer coisa, Adalberto, recordemos que é imperativo manter a chama acesa da esperança em nós e em nossos semelhantes!

24
ABENÇOADA OPORTUNIDADE

As orientações do professor Olegário melhoravam razoavelmente minha autoestima; contudo eu vivia num verdadeiro turbilhão de pensamentos, que variavam entre os construtivos e, predominantemente, os depressivos.

Em alguns instantes, meu coração era acalentado pelas lembranças da minha mãe, dando-me a impressão de que era um chamado. Chegava mesmo a ter a nítida impressão de ouvir o meu nome sendo pronunciado claramente. Então, imediatamente dirigia o meu olhar para a direção de onde me parecia provir o som.

Em uma das minhas regulares consultas com a doutora Margarida, informei-lhe o que se passava, no que fui surpreendido pelas suas observações e providências. Sempre utilizando da primeira pessoa do plural, para caridosamente não me apontar os desalinhos dos meus infelizes relacionamentos, disse-me:

– Meu caro Adalberto, nós simplesmente não nos livramos das nossas heranças e das ligações com aqueles que fazem parte delas. Independentemente dos nossos irmãos, que continuam, por opção, a manter o ódio vivo em seus corações por deslizes que praticamos em relação a eles, temos também aqueles que nos enviam vibrações negativas através da total ausência de comiseração em relação ao próximo.

– Como assim, doutora?

– Pensamentos ou observações desairosas em contato com amigos, em total desrespeito ao falecido, julgando precipitadamente e sem conhecimento de causa, crendo falsamente que estão isentos de experimentarem um dia os mesmos equívocos que condenam.

– A senhora pode declinar algum exemplo?

– Sim, comentários simples ou piadas de mau gosto, como "fulano deve estar pagando tudo o que fez" e outras tantas pontuações de natureza infeliz.

– De minha parte, doutora, eu fui mestre em fazer insinuações, não só para vivos como também para os mortos. Hoje percebo o quanto perdi tempo, diante de tudo o que poderia ter feito de bom, não somente para mim, mas principalmente para a sociedade que eu dizia representar. Que lamentável constatação, quando me conscientizei que fui apenas um excelente representante dos meus próprios interesses...

– Não se lastime, Adalberto, porque não se constroem pontes com meras palavras sobre o projeto. É mandatório que coloquemos as nossas mãos em serviço, a fim de que, em breve, você seja convidado a ingressar em alguma atividade produtiva em nossa instituição. A segunda fase do seu tratamento consiste justamente na 'trabalhoterapia'.

– Será muito bem-vindo, doutora, esperando que seja no menor prazo possível. Não querendo tomar muito mais o seu tempo, tenho ainda mais uma pergunta. Posso?

– Com absoluta certeza!

– Sinto, com certa regularidade, meu nome ser pronunciado, sendo que a voz é de total semelhança com a da minha genitora. Isso que se passa comigo será fruto de alucinação?

A médica sorriu respeitosamente e respondeu:

– Não se preocupe, porque você não está perdendo o senso crítico ou somatizando alguma enfermidade. Trata-se de algo extremamente natural, de um coração que ama você sem restrições. Nosso departamento de comunicações captou, por diversas vezes, essas solicitações provindas realmente da sua mãe. Ela integrou um grupo de senhoras que também passaram pela mesma experiência de assistirem aos seus filhos partirem para a pátria espiritual antes delas. Esse grupo tem visitado com regularidade um reconhecido médium de um estado brasileiro, procurando informações sobre o paradeiro dos seus filhos.

– Meu Deus, como impressiona o amor materno, doutora! Eu que virei as costas para os meus pais...

Não consegui continuar a frase, porque minha voz ficou completamente embargada. Com muita dificuldade eu tentava conter as lágrimas que insistiam em cair.

– Quem ama, Adalberto, jamais abandonará o ser amado. Acalma-se e não se condene! Apenas note o quanto você é valorizado por aquele coração que lhe proporcionou a bênção da reencarnação.

– Que eu, mais uma vez, desprezei...

– Quem de nós não terá agido inconsequentemente em relação ao sagrado recurso proporcionado pelo Criador, em favor total da nossa evolução?

– Concordo, doutora! Então, como poderei atendê-la em seus apelos, se é que posso?

– Estive tratando desse assunto com o doutor Valentin, e fui autorizada a acompanhá-lo até a casa espírita onde o mencionado médium trabalha, para que você possa, dentro das possibilidades de sintonia, grafar algumas linhas, visando ao conforto da sua genitora.

– Comunicar-me mediunicamente, doutora?

– Exato! Através da psicografia do valoroso intermediário.

– E quando será isso?

– Na próxima sessão, daqui a uma semana exatamente. Portanto, prepare-se convenientemente, utilizando o recurso da prece, do estudo e da meditação. Solicitei, também, a presença do professor Olegário, que será de grande ajuda, dada a afinidade entre vocês.

– Como pagarei esse benefício, doutora?

– Não temos moeda corrente para esses serviços, Adalberto. Mas, considerando que tudo fica registrado na contabilidade divina do amor, sua comunicação será de proveito para os outros corações sequiosos de informações, levando a certeza de que não morremos e, por consequência, ninguém se encontra abandonado e isento da sustentação do amor de nosso Senhor.

25
O FAXINEIRO

RETIREI-ME DO CONSULTÓRIO da doutora Margarida com esperanças renovadas, apesar dos desafios por meio dos quais a cada dia eu me conscientizava sobre as posturas deturpadas e completamente adulteradas que tive em relação aos valores verdadeiros do espírito. Por sua vez, as aulas e os estudos aos quais eu vinha me dedicando facilitavam razoavelmente o trabalho que eu estava empreendendo, na busca do autoconhecimento.

Em absoluto sentia-me um demônio guindado a santo depois da morte do corpo físico, conforme alguns religiosos com pequeno entendimento dos próprios postulados de suas religiões costumavam pregar. Em vez disso, sentia-me vivo e herdeiro dos meus pesados compromissos, assumidos pela utilização irresponsável do meu livre-arbítrio.

Muitas vezes, no auge dos meus devaneios, uma voz interior surgia – fruto das minhas intuições, pelo simples fato de ter a genética da divindade, valores essenciais da criatura sustentado pelo amor –, alertando-me sobre os meus desvios e das responsabilidades inerentes. Contudo, as ilusões do prazer falavam mais alto e, em segundos, procurava esquecer as sagradas advertências, a fim de usufruir mais da vida que eu valorizava. Muito a contento com o ensinamento de Jesus: "Porque onde estiver o seu tesouro, aí também estará o seu coração".

O meu tesouro, justamente, se constituía de uma arca repleta de iniquidades, onde eu depositara somente a dor e o sofrimento, tanto para mim como para o próximo. Quanto mais o tempo passava, mais eu tinha a plena certeza de que teria de abri-la e buscar solucionar o que lá estava depositado. Entendia, agora, o porquê de muitas criaturas, incluindo-me primeiramente, procurarem alienar-se da vida através dos processos da drogadição, do alcoolismo, da sexualidade aviltada e de tantas outras escolhas, na tentativa infrutífera de anestesiarem a própria consciência.

Bem, se as constatações eram óbvias, o agir não apresentaria condição diferente. Assim é que, passando pelo pátio interno de uma das alas do complexo onde eu me encontrava internado, notei que um senhor fazia o trabalho de varredura do local.

Decidi, naquele exato instante, que não esperaria

O POLÍTICO | 131

mais pelo meu trabalho de recuperação e fui em sua direção. Educadamente, apresentei-me e ofereci os meus préstimos, querendo dividir o serviço que lhe era afeito. Carlos, como se chamava, recebeu a solicitação de bom grado e, em instantes, compartilhávamos as responsabilidades da limpeza.

Mais uma vez eu me surpreendia comigo mesmo, porque tinha participado, por minutos, de ações semelhantes, quando envergava o corpo físico apenas para aparecer nas fotos dos jornais e revistas, procurando fortalecer a minha imagem de cidadão comum para angariar mais votos.

Com a vassoura na mão, sem qualquer preocupação de falsear coisa alguma, dizia para mim mesmo:

– Agora é para valer! Até porque, de nada adiantará querer plantar uma imagem mentirosa em quem vive uma existência transparente tal como as pessoas que aqui se encontram trabalhando. Somente os internos como eu é que precisam de terapia antes de despertar para a realidade daquilo que acumulamos em nosso céu interior, conforme ensinado por Jesus na lição que, aliás, eu estudei ontem, em Mateus 6:19-21: "Não ajunteis tesouros na terra, onde a traça e a ferrugem tudo consomem e onde os ladrões minam e roubam; mas ajuntai tesouros no céu, onde nem a traça nem a ferrugem consomem e onde os ladrões não minam nem roubam".

Foi uma experiência excelente! Nos dias posteriores, dei continuidade ao serviço com o novo amigo, que se alegrava em ter-me como seu colega de faxina. Preocupei-me até com o fato de a minha atitude não estar autorizada pelo responsável daquele serviço; porém Carlos veio em meu socorro, dizendo:

– Tranquilize-se, meu caro Adalberto, porque a criatura conscientizada do seu dever não precisa de supervisão para fazer aquilo que é da sua responsabilidade. Candidatei-me ao serviço da faxina para o início das minhas propostas de mudança, porque fui um homem de poder sobre o planeta, mas com um orgulho que costumava superar até os grandes reis. Depois do meu desencarne, fiquei perdido por longo tempo nas regiões inferiores, até ser recolhido por essas almas bondosas que aqui jornadeiam. Como você, entendi o valor do trabalho diante de Deus; sua importância está na realização com amor ao serviço e na gratidão pela bênção da ocupação. Com essa atividade, permito-me iniciar a prática da valorização do trabalho como elemento disciplinador e, ao mesmo tempo, um treinamento da humildade, porque eu costumava olhar para os serviçais da minha casa e das minhas empresas como pessoas de segunda ou de terceira categorias.

Impressionou-me a sinceridade dele, tanto mais pelo curto espaço de tempo que nos conhecíamos. Deixando de lado qualquer sentido de reserva, observei:

– Que incrível coincidência, se é que elas possam existir! Você, em poucas palavras a respeito da sua vida, narra aspectos das minhas atitudes. É como se você abrisse o meu livro de recordações.

Ele, rindo descontraidamente, completou:

– No fundo, poucos são aqueles que procuram agir de modo diferente. Propomo-nos a uma série de mudanças para melhor, até reencarnarmos e permitirmos que a boa-vida nos envolva de tal maneira que vamos deixando tudo para depois. É a atitude daquele que se enferma depois de tanto submeter a saúde aos mais absurdos desvarios, e que procura recuperá-la para retornar a essa mesma vida de desregramentos.

– Infelizmente tenho que reconhecer que isso é uma verdade não genérica, logicamente, mas que vale para boa parte da população, na qual eu me incluo diretamente.

26
A MENSAGEM

A SEMANA PASSOU sem que eu tivesse me dado conta, tão envolvido que estava no trabalho voluntário da faxina, nos estudos e no grupo de terapia que, aliás, me auxiliava enormemente. Assim, o sábado chegou e com ele a oportunidade que tanto aguardava: a possibilidade de me comunicar com a minha mãe.

Ao término do nosso expediente de limpeza, Carlos abraçou-me dizendo que ficaria orando por mim, para que eu alcançasse o intento com o maior grau possível de tranquilidade.

O professor Olegário, a pedido da doutora Margarida, veio me buscar no horário acertado. Pudemos encontrá-la no local reservado para os veículos aéreos, cuja aparência lembrava os helicópteros utilizados na Terra, com a diferença de não terem as pás das hélices. Embarcamos e nos acomodamos confortavelmente. Na posição em que me encontrava, dividia o espaço com mais três passageiros, designados, também, ao trabalho psicográfico da noite. As janelas, de grande proporção, foram escurecidas por uma espécie de película, não permitindo a visão externa.

Olhei para Olegário, que me pareceu ler o questionamento mental que eu fazia. Veio, então, em meu socorro:

— Essa medida, Adalberto, é para evitarmos as cenas, por vezes muito dolorosas, da região onde nossa instituição encontra-se localizada. Por ser um posto avançado em zona considerada inferior, onde grassa o sofrimento, em nada adianta para os irmãos em recuperação a rememoração de cenas semelhantes àquelas por eles experenciadas.

E, dirigindo-se para o pequeno grupo como um todo, recomendou:

— Se posso fazer uma sugestão, visando ao bom andamento dos trabalhos junto ao médium que nos aguarda, a prece facilitará a nossa elevação e a manutenção vibratória, auxiliando em muito o contato com o medianeiro.

Procurei seguir as recomendações do amigo e, num tempo relativamente curto da nossa viagem, logo desembarcávamos à frente de uma casa espírita, de aparência muito simples, porém, envolta em uma luz azul prateada que sofria câmbios para o rosa sutil, em determinados instantes, sendo sustentada por um intenso foco que vinha do mais Alto.

Pude observar, também, que ao redor do Centro um tipo de cerca eletromagnética protegia o ambiente de intrusos mal-intencionados, os quais, por vezes, procuravam invadir o local, sendo imediatamente coibidos em suas ações.

A médica seguia à nossa frente. Foi atendida por dois voluntários simpáticos, verdadeiros seguranças na pequena porta de entrada, e que, tão logo a reconheceram, permitiram a nossa passagem. Eles nos saudaram com votos de boas-vindas; nosso professor, que me pareceu ser velho conhecido de ambos, abraçaram--no efusivamente.

Adentramos, pois, o pequeno salão de atividades, onde uma quantidade significativa de pessoas procurava se ajeitar da melhor maneira possível nos bancos de madeira ali instalados. O médium estava, naquele exato momento, dirigindo suas rogativas a Jesus para a reunião que se iniciaria em seguida.

Divisei, ao seu lado, uma senhora que fazia parte da nossa dimensão, cuja sutileza e luminosidade do corpo não permitia, pelo menos para mim, notar mais detalhes.

Novamente Olegário veio nos esclarecer:

– Trata-se da mentora do nosso estimado irmão. Com breve mensagem psicofônica, visando à elevação mental dos participantes, ela iniciará a reunião. Logo após, estaremos aptos ao serviço da comunicação.

Após a informação do professor, procurei por minha mãe. Com certa dificuldade, consegui vê-la no centro de um grupo de senhoras. Ela demonstrava o peso da idade; todavia, um brilho de esperança se estampava em seu olhar.

Imediatamente, me vieram a recordação dos momentos felizes ao lado da querida genitora, o que me levou a sentidas lágrimas de emoção. Procurei controlar-me, recorrendo à prece, procurando não arriscar e desperdiçar a chance de dirigir uma palavra para aquele coração amoroso.

Após a breve comunicação da mentora, esta fez um pequeno sinal para o meu professor que, olhando em minha direção, esclareceu:

– Chegou a hora da abençoada oportunidade, Adalberto. Vejo em seu semblante o questionamento sobre o processo. Peço, então, que não se preocupe com coisa alguma, pois serei o intermediário entre você e o médium. Passe a sua mensagem para mim, e me encarregarei de colocá-la no papel através desse nosso querido tarefeiro do bem.

Ele se aproximou do medianeiro. Constatei, então, que eles se conheciam há tempos, porque um brilho especial se fez entre ambos assim que se tocaram. Logo em seguida, meu professor se aproximou do nosso intermediário. Era quase uma fusão, num primeiro momento, permitindo ao médium desdobrar-se e manter-se próximo ao seu corpo, mas com total controle sobre o que ocorria.

A doutora Margarida me informou:

– Esse nosso irmão tem uma mediunidade como poucas! Agora, aproxime-se um pouco mais e dite para o

Olegário aquilo que lhe vier à mente, o que você gostaria que sua mãezinha e as pessoas aqui presentes ouvissem de você.

Eu, um destemido orador que fora em minha última estada no planeta, agora vacilava, tendo de ser novamente estimulado pela médica. Desta vez, respirei profunda e calmamente, e iniciei mais ou menos assim:

– Minha querida mãe, que Deus nos abençoe a oportunidade de colocarmos lado a lado os nossos corações! Sou, dos filhos aqui presentes, talvez um dos mais ingratos em minhas atitudes, quando me encontrava ao seu lado. Mas hoje, coloco-me aos seus pés, procurando osculá-los diante de tudo que devo à sua generosidade e ao seu amor para comigo.

Transviei-me nos favores do mundo e agora sei das responsabilidades assumidas perante a minha própria consciência. Sou grato pelas suas preces, as quais me sustentam, sendo definitivas para me retirar do Vale de Sombras e da ignorância que cultivei em meu interior.

Peço que não se preocupe, porque estou bem e amparado por irmãos em Cristo Jesus. Eles investem seus preciosos minutos trabalhando para a minha plena recuperação e compreensão de mim mesmo, eu que, hoje, atuo como o aluno que não soube apreciar as lições oferecidas pela escola planetária. Tenho plena certeza de que a minha caminhada para corrigir os meus desmandos será longa, mas sei que o seu amor não me faltará em instante algum.

Não tenho palavras para demonstrar a minha gratidão

por ter-me como filho, pedindo perdão, tanto a você, mãe querida, como também ao meu pai e ao meu irmão Juvenal, pelos momentos de completa falta de compreensão de que todos nós, indistintamente, somos irmãos diante do Criador. Abençoe-me mais uma vez! Eu me despeço beijando-lhe o rosto e dividindo com as minhas as suas lágrimas de saudades. Seu filho, Adalberto.

Não consegui continuar, porque a emoção invadiu-me por completo. Com o auxílio da doutora Margarida, aproximei-me da minha mãe e beijei inúmeras vezes as suas mãos, agradecendo a Jesus aquele momento de luz para a minha comprometida existência.

27
SAUDÁVEL RECOMENDAÇÃO

Eu, QUE SEMPRE me senti um super-homem e procurava esconder minhas fraquezas debaixo de uma dura carapaça, jamais poderia imaginar o quanto era frágil, quando as minhas supostas defesas caíram por terra diante da presença da minha genitora.

Somente agora avaliava o tempo perdido com o desprezo àqueles que de fato me amavam sem qualquer outro objetivo, senão o meu próprio bem. Relembrava os erros cometidos e acumulados, e imaginava que era muito provável serem meras repetições em reencarnações sucessivas, comprometendo não somente a minha existência, mas a de muitos outros. E isso pelo simples fato de insistir em manter vivo um orgulho tolo com o qual buscava atender todos os meus caprichos, alimentando a ilusão fascinadora, verdadeira auto-obsessão, que terminou por atrair diversos obsessores, tanto encarnados como desencarnados, a me vampirizar de variadas formas. Não poderia impor às criaturas que me cercavam a responsabilidade da aproximação, porque as ocorrências todas estavam ligadas diretamente ao fascínio que eu tinha por mim mesmo, em verdadeiro processo auto-hipnótico.

Para aqueles que despertam no além-túmulo – porque hoje sei que muitos sequer têm a exata noção sobre o que seja o nascer e o morrer –, como é dura a realidade quando nos conscientizamos daquilo que ficou meramente no terreno das hipóteses, tais como: tornar-se um ser humano melhor a cada dia, amando mais, perdoando, procurando fazer a diferença através de uma postura equilibrada e voltada não para os próprios interesses pessoais, mas, antes, tendo a certeza de não sermos seres especiais, melhores que os outros, pois o nosso semelhante é, quer aceitemos essa realidade ou não, nosso irmão, em função da condição única da criação.

Um misto de desespero e de fragilidade começou subitamente a se apoderar de mim. A primeira reação diante das constatações que fazia foi a de querer agarrar-me à minha mãe e com ela ficar indefinidamente. Os pensamentos entraram em turbilhão. Comecei a sentir que estava a ponto de perder a noção do que ocorria, quando a doutora Margarida, aproximando-se, agiu energicamente:

– Adalberto, altere imediatamente seu plano mental! Não se vitimize, para que as suas reflexões não o levem ao processo de culpa e as ondas mentais emitidas fortaleçam as ligações obsessivas, pelo que você vem lutando para diminuir. Vamos! Acorde para a realidade de que todos nós somos espíritos necessitados de autoconhecimento, de estudo e de trabalho construtivo no bem, e pare de agir feito criança!

– Mas, sinto-me tão enfraquecido diante daquilo tudo que terei que reajustar...

– Compreendo; porém tal postura não lhe auxiliará em nada. Se contratamos no atacado os nossos deslizes, temos a bondade divina concedendo-nos a oportunidade de resgatá-los em suaves prestações, alterando o que fizemos de errado com o bem que possamos praticar. Então, sequer pense em manter esses pensamentos derrotistas, demonstrando total ausência de fé em você mesmo e no Criador.

Foi o que bastou para me tirar daquela atitude autodepreciativa. Completamente sem jeito, olhei para a médica e, baixando a cabeça, lhe disse:

– Desculpe-me pelo comportamento inadequado em hora tão significativa para mim. Quase ponho tudo a perder pela invigilância.

– Meu caro, entre irmãos, as desculpas são desnecessárias. Dependemos uns dos outros, e Deus nos mostra a cada instante que é impossível ser feliz sozinho. A bondade divina é tamanha que nos coloca em sociedade para que, dessa maneira, possamos exercitar o amor, inicialmente dentro da família a fim de que, depois, possamos externá-lo para a sociedade como um todo. Imagine se não tivéssemos os nossos semelhantes para a relação construtiva? Jamais teríamos saído das cavernas, se é que teríamos chegado até elas.

– A senhora tem razão. Faltou-me a vigilância, conforme ensinado por Jesus...

– E a oração, para o fortalecimento diante das provas. Exatamente por isso é que o nosso Mestre não se ateve somente a uma das recomendações. Completou com sabedoria divina, quando ensinou que deveríamos "vigiar e orar, para não cairmos em tentação".

Agora, voltemos nossa atenção às demais comunicações através do abençoado medianeiro, aproveitando as sagradas lições para que as experiências dos outros possam ser aprendizados para nós mesmos, evitando que resvalemos em situações semelhantes, se formos bons observadores – completou a médica.

28
EXERCÍCIO DO PERDÃO

AS MENSAGENS QUE se sucederam foram todas muito construtivas, acalmando os meus sentimentos e elevando o meu estado de ânimo.

Ao término da reunião, após a mensagem da mentora da casa espírita e a sentida prece final, realizada por um dos presentes, despedi-me da minha mãe com um longo e afetuoso abraço. Tive a sensação de que ela, em determinado instante, não apenas registrou a minha presença através de vibrações carinhosas, como também pareceu me ver através da clarividência, porque registrei seus pensamentos como se fossem palavras articuladas. Aquela criatura maravilhosa assim me dizia:

– Vá em paz, meu filho, que Deus o abençoe e ilumine os seus caminhos!

Não consegui conter as abundantes lágrimas que mais uma vez inundaram o meu rosto, envolvendo-me numa felicidade indizível, pela pureza dos sentimentos emanados em instantes tão singelos.

Aproveitamos para nos despedir da mentora do trabalho e dos demais companheiros da nossa dimensão, responsáveis por aquele ambiente iluminado pelas bênçãos do Criador. Ao nos aproximarmos do médium, notei que a sua capacidade visual em nosso plano era considerável, porque ele fez questão de estender o convite para que retornássemos em breve, com referências pessoais a Olegário e à doutora Margarida. Olhou-me significativamente, provavelmente me reconhecendo por minha imagem ter sido muito veiculada através da mídia, em virtude do cargo que ocupara no Congresso do país. Com profundo respeito, falou:

– Estou feliz pela sua visita, meu filho. Saiba que estaremos orando por você, para que a sua rota redentora seja coroada de sucesso. Não desista dos seus propósitos de servir a Jesus. Que o nosso Senhor nos abençoe a todos.

Fiquei boquiaberto com a atitude daquele homem simples, cuja bondade nas palavras eu sentia em minhas fibras mais íntimas.

Na viagem de volta para o Complexo Hospitalar, decidi questionar brevemente o meu professor, que me atendeu prontamente, quando me referi à experiência com o médium.

– Ocorre, Adalberto, que o nosso irmão é senhor de uma evolução espiritual considerável. Sua percepção das dimensões paralelas chega próxima daquela onde ele estagia momentaneamente.

– Mas não se consistiria isso num problema, estando ele diante de um encarnado e de outro que possa estar porventura desencarnado? – voltei a perguntar.

– Essa é a diferença daqueles que já alcançaram um grau superior, pois conseguem separar com clareza os dois mundos interagindo sem qualquer inconveniente. O homem do futuro terá essa faculdade desenvolvida de tal forma que poderá trazer uma série de benefícios para o conhecimento e, consequentemente, para a evolução da sociedade, tanto pelos contatos diretos realizados com aqueles que nos precederam no retorno à pátria espiritual como também pela recordação de suas próprias reencarnações anteriores, pela inexistência de culpas ou pendências consigo mesmo ou com o semelhante. Com isso, quando for atingido esse período, as questões referentes à morte do corpo físico desaparecerão, deixando de carregar as características sombrias que até hoje persistem em nosso planeta. Porque sabemos, comprovadamente, veja o nosso caso, a morte não existe! – completou fazendo todos que seguiam viagem conosco rirem.

Ao desembarcarmos no complexo, pedi ainda alguns minutos com a doutora Margarida, que não se furtou em atender-me com muita boa vontade.

– Doutora, desculpe tomar o seu tempo com preocupações banais de alguém que está na franca tentativa de esclarecimento e mudança.

– Tentativa, não, Adalberto, compromisso consigo mesmo e decisão efetiva seria mais bem colocado.

– Obrigado pelo estímulo! Serei breve em minha narrativa. Da mesma forma que tenho contatos com a minha mãe, através do desdobramento natural proporcionado pelo sono, uma figura surge com regularidade para mim, geralmente se mostrando entristecida. Em algumas ocasiões, vejo que ela verte sentidas lágrimas de arrependimento. Por incrível que possa parecer, é a mesma moça que me envenenou.

– Estava aguardando você tocar nesse assunto comigo, Adalberto.

– A senhora tinha conhecimento das ocorrências?

– Sim, dentro das necessárias circunstâncias, visando sempre à aplicação da terapia mais favorável para os nossos pacientes.

– Como, doutora?

– Através de suas projeções mentais, e o fato de elas terem ocorrido em desdobramento não impede que fiquem em você registradas.

– Meu Deus, quanta percepção!

– Todos nós somos detentores desses recursos potencialmente, tendo, para a sua utilização, o exercício da faculdade em si, porém, lastreada no amor, para que não façamos utilização inadequada.

– Interessante, doutora... Como seriam as possibilidades de um espírito como Jesus, por exemplo?

– Não consigo conceber a profundidade que ele enxergava, mas, do pouco que sabemos, o ele nos conhece integralmente; por isso a relação de atender-nos como crianças em desenvolvimento.

– Bem, perdoe o desvio do assunto, mas o que devo fazer em relação à mencionada jovem?

– Ore por ela e mantenha a atitude firme do perdão.

– É tão difícil...

– Concordo que realmente não é fácil, Adalberto. Contudo, se não utilizarmos do recurso sagrado do perdão, ficaremos presos ao passado, prejudicando os nossos projetos que se desenvolvem no presente e comprometendo o futuro. Ademais, podemos ser efetivos diante dessa situação. O que você acha de um contato direto com ela, tal qual realizamos com a sua mãe?

– Não sei se tenho capacidade para tanto, doutora...

– A questão não é ter capacidade, mas sim vontade. Você quer?

– Posso tentar, digo, farei todo o possível.

– Excelente! Que tal marcarmos para daqui a duas horas, que será madrugada na cidade onde a jovem reside?

– Já, doutora?

– Adalberto, não se postergam as chances de solucionarmos nossas pendências. Aliás, importante observação registrada pelo apóstolo Tiago 4:13-15 é esta: "Ouçam, agora, vocês que dizem 'hoje ou amanhã iremos para esta ou aquela cidade, passaremos um ano ali, faremos negócios e ganharemos dinheiro'. Vocês nem sabem o que lhes acontecerá amanhã! Que é a tua vida? Vocês são como a neblina que aparece por um pouco de tempo e depois se dissipa. Em vez disso, deveriam dizer: 'Se o Senhor quiser, viveremos e faremos isto ou aquilo'".

– A senhora me convenceu! Terei a sua companhia?

– Sem dúvida! E, se quiser, a do professor Olegário também.

– Será uma honra para mim! Estarei preparado. Assim espero...

29
ATITUDE INESPERADA

Logo, eu, Olegário e a doutora Margarida empreendíamos a viagem para a residência da jovem, conforme a informação do meu professor.

Durante o trajeto, a médica me informou que o nome verdadeiro daquela que havia servido ao propósito dos meus concorrentes mais acirrados era Luana.

Ao desembarcarmos, fui surpreendido pela localização. Tratava-se de um bairro elegante na capital do país, cuja residência demonstrava ser habitada por pessoas de condição financeira elevada. O primeiro pensamento que povoou a minha mente foi sobre a possibilidade de Luana estar fazendo um serviço de acompanhante para algum milionário.

Desta vez, muito discretamente, foi meu professor quem me abordou, após literalmente ler o que eu pensava naquele instante:

– Adalberto, substitua o seu julgamento precipitado pela prece. A residência em questão pertence aos pais da jovem.

Olhei para o amigo com ares de profunda interrogação. Ele, com tranquilidade, esclareceu:

– Lembra-se do velho ditado segundo o qual o hábito não faz o monge?

– Sim, se me lembro...

– Muito bem. Podemos estar residindo em um palácio; todavia continuarmos em verdadeira miséria moral. O contrário também pode se constituir na verdade, diante da necessidade da prova pela qual o espírito possa estar passando. Não é assim em relação ao nosso próprio corpo? Quantos de nós não habitamos esse verdadeiro templo do espírito, conforme ensinado pelo Apóstolo dos Gentios, e, no entanto, menosprezamos a sagrada oportunidade, mantendo-nos em irresponsável posição, com comportamentos inadequados, danificando o patrimônio que não nos pertence, mas sim ao Criador?

– Bem, professor, quanto a isso, eu que o diga...

– Então, o fato da Luana habitar uma residência de alto valor, e ser a provável herdeira dos bens dos seus genitores, não significa que os seus padrões éticos acompanhem o que é usual em sua parentela.

Naquele instante, como se fosse atingido por um raio, recordei-me da postura dos meus pais e do quanto eu desprezara por completo os valores éticos e morais que eles tanto me haviam ensinado. Em meu íntimo, eu não estava apenas julgando a moça, como já me encarregara do veredito: 'culpada'!

Olegário, percebendo que eu me embaraçara fortemente, convidou:

– Pronto para darmos prosseguimento?

– Acho que sim...

– Procure não achar, Adalberto. Mantenha a firmeza de propósitos! Encontraremos Luana desdobrada pelo sono natural. Vamos nos aproximar com critério e sem quaisquer atitudes precipitadas. Por isso, recomendo mais uma vez a manutenção da vigilância e a oração, está bem?

– Está sim, professor!

Outra surpresa para mim foi assistir, em instantes rápidos, ao perispírito de Olegário adensar-se. Encerrado o processo, ele foi em direção à porta de entrada da mansão.

Preparava-me para questionar a doutora, que ficara em minha companhia, quando fui atendido prontamente:

– A condição em que estamos não permite que Luana nos identifique, pela condição vibratória mais densa em que ela se mantém, em função dos seus interesses particulares. Portanto, trabalharei em seu adensamento assim que Olegário avisar-me que tudo está pronto para a sua entrada. No momento adequado, tanto ele como você iniciarão a segunda fase de condensação para serem vistos por Luana.

Não precisei esperar muito, porque logo a doutora Margarida solicitou que eu me concentrasse e, com movimentos rápidos, usando as duas mãos sobre a minha cabeça, o que, pelos meus estudos, sabia estar se tratar do centro coronário e de alguns outros centros de força espalhados pelo meu corpo, foi produzindo uma sensação diferente. Gradativamente, a impressão que me vinha à mente era a de estar me vestindo adequadamente, portanto, ficando mais encorpado, nos rigorosos invernos dos países do hemisfério norte.

Em minutos, ela me informou que eu estava 'quase' pronto, em matéria de corpo, para a realização do contato. Pediu que eu não me impressionasse com possíveis companhias que a jovem poderia manter, porque ela, como médica responsável pela minha terapia, estaria comigo orientando-me mentalmente.

Respirei profunda e longamente, solicitando o auxílio de Jesus para o momento de prova de suma importância, um verdadeiro teste de fé e de perdão para mim. Mantendo-me firme em meus objetivos, entrei!

Olegário fez um sinal para que me aproximasse do quarto de Luana calmamente.

Notei que a atmosfera agradável da residência se alterava até alcançar os aposentos da jovem, onde pude encontrá-la sentada ao lado da cama, desdobrada e próxima ao seu corpo físico, acompanhada de duas entidades femininas que procuravam consolá-la por conta de uma de suas recentes atitudes. Sem que pudessem registrar a minha presença, uma delas dizia:

– Não fique assim, minha criança, aquele político

vigarista que você ajudou a eliminar já estava morto mesmo, pelas extravagâncias que cometia. Você é jovem e precisa aproveitar a vida. Então, não se lastime por ter acabado com uma serpente que envenenava a sociedade.

Logo a outra confirmava:

– Na verdade, ele não passava de um defensor de traficantes de armas e de drogas. Retirá-lo em definitivo da vida foi um favor que você fez! Perdoe-se e não se culpe mais!

Ao ouvir as acusações que pesavam sobre mim, tive o ímpeto de partir em direção às duas criaturas e agredi-las fisicamente, no que fui imediatamente contido por Olegário, que se encontrava em posição mais avançada.

– O que é isso, Adalberto? Contenha-se! A força jamais será a solução das nossas desavenças.

– Perdão! Achei que estivesse consciente dos meus erros, mas vejo que ainda me encontro distante dessa realidade.

– Não se culpe, meu caro, todos nós ainda estamos longe de entendermos que a real consciência será aquela conquistada através do verdadeiro conhecimento de nós mesmos como espíritos.

Ao término da orientação e advertência do professor, a doutora me inspirou solicitando a manutenção da prece para alcançarmos os objetivos da nossa visita, uma vez que, de agora em diante, seríamos vistos por Luana e seus acompanhantes.

Tive, então, uma nova sensação de peso redobrado em todo o meu corpo, o que proporcionou para Luana e

as entidades que a circundavam a possibilidade de ver-
-nos com clareza. O espanto foi tamanho que as duas
saíram correndo do ambiente, pedindo por socorro e dizendo que fantasmas estavam invadindo o local.

Por sua vez, a jovem procurou o refúgio do corpo material, acordando de forma súbita e assustadiça, crendo
que acabara de ser acometida por um pesadelo horrível.

Diante da cena, Olegário não se alterou. Em vez disso, com a extrema paciência de um professor dedica-
do, esclareceu:

– Não se preocupe, porque essa é apenas a primeira
fase do nosso encontro. Induziremos Luana novamente
ao sono, pois, passada a surpresa do primeiro contato,
poderemos esclarecê-la dos nossos reais objetivos. Paciência é a chave para problemas aparentemente insolú-
veis. Vamos trabalhar!

30
REFAZENDO CAMINHOS

OLEGÁRIO INICIOU UMA sessão rápida de fluidoterapia em Luana, induzindo-a ao sono magnético. Instantes depois, ela se desdobrou do invólucro físico, a princípio com dificuldades mais acentuadas de localização, precisando ser atendida pelo meu professor.

— Luana, tranquilize-se, pois você se encontra entre amigos, que buscam auxiliá-la a sair desse estado mental em circuito fechado por causa do ocorrido com o deputado. Isso acabará levando você inicialmente à profunda depressão e, mais tarde, a abrir as portas para outros obsessores oportunistas, que poderão causar danos ainda maiores.

Percebi que, por algum procedimento hipnótico utilizado por Olegário, ela não registrava a minha presença. A jovem, então, dirigindo o olhar assustadiço para o interlocutor, levou um choque, exprimindo claramente a sua primeira reação:

— Meu Deus, fui descoberta! O que será de mim? Passarei a minha vida dentro de uma penitenciária... O senhor é policial?

Meu professor agiu diligentemente:

— Minha filha, não estou na sua presença como qualquer autoridade, mas sim como um simples trabalhador do Cristo. Infelizmente, você já se encontra prisioneira do ato tresloucado, desde o momento em que se envolveu com as pessoas que a incumbiram da missão homicida.

— O senhor é um sacerdote ou algo assim? Poderá me ajudar?

— Não sou um sacerdote, Luana. Chamo-me Olegário, e farei o que for possível para auxiliá-la como um irmão em Jesus. Inicialmente, estamos procurando minimizar os impactos negativos das suas atitudes, que terminarão por comprometer o seu equilíbrio psicofísico.

— Senhor, acreditei que fazia um favor não apenas para o grupo que me contratou, mas também para a sociedade, retirando de seu seio uma criatura vil, reconhecidamente um defensor de traficantes.

— Entendo a sua posição; porém, minha querida, não estamos na condição de juízes de quem quer que seja.

Os procedimentos levados pela ansiedade em solucionar os problemas aparentes, sem que tenhamos para isso profundo conhecimento das causas, acaba por nos comprometer seriamente diante de nós mesmos, à medida que vamos tomando consciência dos nossos atos.

– Mas as autoridades competentes nada faziam, senhor...

– Quem são as autoridades senão nós mesmos, criaturas em fase de desenvolvimento moral, que poderemos, por nossa vez, envergar um título ou outro, sempre passageiro? Aliás, minha filha, quantas vezes não envergamos em nossa escalada evolutiva e nos desviamos da rota, cometendo os mais diversos desatinos? Não será justificável ficarmos de braços cruzados como sociedade constituída, permitindo que o desequilíbrio abuse do direito de todos. Mas daí a iniciarmos uma escalada de vingança ou de justiça com as próprias mãos vai uma distância enorme, até porque, geralmente, quando nos alvoroçamos como justiceiros, acabamos cometendo atos mais condenáveis do que aqueles praticados pelos algozes que estamos combatendo.

Eu assistia ao diálogo em profunda emoção, que me levava às lágrimas de arrependimento pelo que havia proporcionado não somente à sociedade, mas também a mim mesmo. Como é difícil tomar conhecimento do desperdício de tempo concedido em uma reencarnação e, pior ainda, aquilo que fizemos para o nosso semelhante!

Minha médica procurava inspirar-me calma, para que eu não colocasse tudo a perder na presente oportunidade. Sentia-me completamente envolvido num abraço fraterno de sustentação. Se não fossem as atitudes de verdadeira mentora, eu com certeza teria sucumbido diante da realidade estampada à minha frente. Eu não tinha dúvida alguma de que, durante certa parte da última existência, eu havia me transformado num monstro; por isso, passava a ter pena de mim mesmo.

Não demorou para o meu professor atuar, dirigindo-se especialmente a mim, em processo ao qual Luana não poderia ter acesso:

– Deixe esta história de ter pena de si mesmo, porque essa atitude é completamente destrutiva em relação aos objetivos superiores do espírito! Antes da pena ou do sentimento de culpa, a recomendação a ser seguida é aquela que se encontra grafada na obra O céu e o inferno, do codificador Allan Kardec: "O arrependimento suaviza os amargores da expiação, abrindo, pela esperança, o caminho da reabilitação; só a reparação, contudo, pode anular o efeito destruindo-lhe a causa. Do contrário, o perdão seria uma graça, não uma anulação."

Retomando o diálogo com Luana, Olegário convidou:

– Tenho uma proposta para lhe fazer, minha irmã.

– Proposta, senhor Olegário?

– Sim. A princípio, que tal reconciliar-se com Adalberto para alcançar um pouco de paz na consciência?

– Com o deputado que eu envenenei?

– Ex-deputado, que estava envenenado pelo orgulho e pelo egoísmo, mas que hoje, senhor dos seus atos, busca o processo de reconciliação para com todos através da prática do perdão.

O POLÍTICO | 161

– Ele jamais me absolverá do ato extremo. Tenho plena certeza de que serei humilhada.

– Responda-me apenas: você gostaria de tentar?

– E como, senhor Olegário... E como...

– Então, o trarei à sua presença. Peço que você entenda que Adalberto também está se esforçando para as mudanças que são inadiáveis, assim como você vem fazendo. Por favor, aguarde um instante!

Olegário aproximou a sua mão do campo visual de Luana, permitindo que gradativamente ela visse o ambiente. Sua primeira reação foi a de querer se ajoelhar diante de mim, o que eu, de imediato, não permiti, abraçando-a delicada e fraternalmente.

Não posso precisar exatamente o tempo que ficamos naquela posição, derramando sentidas lágrimas, até que ela tomasse a iniciativa de quebrar o silêncio, dizendo com a sua voz envolta em sentidos soluços:

– Por misericórdia, perdoe-me!

– Não tenho nada que perdoar, Luana. Eu, sim, é que deveria estar de joelhos diante de você, porque eu dormia e você me despertou. Em nome de Jesus, fiquemos definitivamente em paz, para reconstruirmos, tanto você quanto eu, o nosso futuro.

– Mas, não existe qualquer rancor da sua parte?

– Sou humano, em plena metodologia reeducativa dentro do Evangelho de Jesus. Eu não seria falso comigo mesmo, dizendo que não me revoltei seguidas vezes quando me recordava do ato que eliminou a minha última existência. Porém, minha irmã, o que eu fiz para tantos filhos, filhas, pais, amigos e parentes, quando abusei tresloucadamente da minha posição? Não fui apenas o responsável por mandar matar algumas pessoas; na realidade, o que me pesa muito mais na consciência é que matei a esperança de muitos.

A emoção não permitiu que eu continuasse. Logo após olhar profundamente em seus olhos, beijei-lhe a fronte e as suas mãos, afastando-me sutilmente.

Enquanto saía, pude ainda ouvi-la questionar o meu professor:

– O que farei agora?

– Medite sobre as suas responsabilidades e ore procurando a divina inspiração, para que as suas decisões de agora em diante sejam suportadas dentro dos ensinos do Cristo. Transforme o Evangelho de Jesus em roteiro de vida, para que o Mestre ilumine os seus caminhos e inspire a utilização adequada do seu livre-arbítrio. Fique na paz do Senhor!

Percebi que Luana retornava para a sua organização fisiológica com serenidade, dando continuidade ao sono profundo em que se encontrava.

Ao sinal do meu professor, após as providências de descondensamento perispirítico, partimos em direção ao veículo que nos conduziria de volta ao Complexo Hospitalar.

31
ESCLARECIMENTOS ILUMINADOS

NÃO ESPEREI PARA chegarmos ao Complexo e me esclarecer um pouco mais. Fiz, então, algumas perguntas ao diligente professor, posto que eu estava bastante intrigado:
– Todos os contatos realizados com a Luana foram através do sono induzido magneticamente por você. Logo, quais serão as lembranças dela ao despertar?
– Boa pergunta! Os momentos vivenciados pela nossa irmã de fato não poderão ser lembrados integralmente, até porque os registros efetuados não foram realizados pelo cérebro utilizado no corpo físico. Todavia os pontos mais im-

portantes serão transferidos do cérebro perispiritual para o físico e fixados com clareza, inclusive alguns deles poderão ser recordados por associações feitas com acontecimentos ou imagens vistas durante o estado de vigília.

– Mas será o suficiente para que ela se sinta confortada e faça uma revisão de conceitos, professor?

– Vamos com calma, respeitando a natureza de cada um! Conforme sabemos de longo tempo, essa natureza não costuma dar saltos. A evolução é trabalho de conquista, de aplicação constante. Contudo uma coisa é certa: esses momentos preciosos são o primeiro e importante passo, verdadeira alavanca para as atitudes iniciais de alteração de rota.

– Pela exiguidade de tempo, poderão produzir efeito tão significativo?

– Adalberto, não precisamos de longos discursos para expressar os nossos reais sentimentos. A propósito, quem muito fala é porque tem pouco a dizer, como diz o ditado popular. Não nos esqueçamos de que o amor é energia viva, no qual somos sustentados e, quando do nosso desejo, pode ser transferido entre todos aqueles que procuram a sua aplicação. Podemos considerar que as ações levadas a efeito pela sua disposição em perdoar e o reconhecimento do equívoco provocado por parte da nossa assistida são os movimentos iniciais em direção às revisões de valores a serem realizadas.

– Ela poderá continuar em sua vida promíscua, desequilibrando a sexualidade com envolvimentos vulgares?

– Luana, por intuição, sabe que algo delicado se passa em relação à sua saúde, tanto é que, nos próximos dias, deverá procurar ajuda profissional na área da medicina voltada para a infectologia, recebendo a confirmação de que é portadora do vírus HIV. Em virtude da sua vida desregrada, a deterioração progressiva do sistema imunitário propiciará o desenvolvimento de infecções oportunistas, retirando-a do invólucro físico em pouco tempo, apesar das terapias hoje existentes oferecerem recursos excepcionais, dando condições de vida normal para os pacientes, diante de precauções responsáveis.

– Meu Deus! Fazendo uma analogia com o que eu costumava praticar comigo mesmo, quanto teria me poupado se observasse os sinais que a vida dá!

– A própria constituição fisiológica reclama determinadas reposições através dos alimentos, não é assim?

– Sim, Olegário, é verdade...

– O mesmo ocorre com as solicitações do espírito, se é que podemos nos expressar dessa maneira, no que diz respeito às nossas necessidades éticas e morais, visando à manutenção equilibrada do todo. Porque as leis divinas, inseridas na criatura desde a partida do seio do Criador e fortalecidas pela evolução até os dias atuais, funcionam como perfeito farol a nos guiar, iluminando nossos caminhos para que não experimentemos os dissabores da queda. Ignorar os avisos é de direito de cada um; porém, jamais poderemos fugir da realidade de nós mesmos, buscando posteriormente as correções pelo processo da dor, quando nos é oferecida a possibilidade de evoluirmos pelo amor.

– Falando por mim, digo que sinto tanta dificuldade...

A doutora Margarida, que acompanhava o diálogo, pedindo a palavra, gentilmente observou:

– Esses são os desafios a serem vencidos, porque viciados em repetir reencarnações, somos levados pela força do hábito. Porém oportunidades novas nos são oferecidas para a mudança e essa, isenta do sofrimento. Pela prova, todos nós necessitamos passar, mas pela expiação, não necessariamente.

– Parece que são tão poucos os que entendem isso, doutora...

– Enquanto insistirmos em ignorar o Evangelho de Jesus ou tratá-lo como parte de convencionalismo social, experimentaremos mais largamente o evoluir pela dor, por causa dos apegos que procuramos disfarçar com alegações relativas ao amor.

Estávamos chegando ao Complexo Hospitalar, quase prontos para desembarcar, quando procurei aproveitar ao máximo a companhia dos iluminados mentores, lançando-lhes uma última questão:

– No caso da Luana, quais serão os próximos passos a favor dela, doutora?

– A abertura dos sentimentos mais puros da nossa irmã permitiu a aproximação dos seus amigos espirituais que, de agora em diante, poderão assisti-la mais diretamente, não apenas afastando as companhias indesejáveis, mas também levando-a a meditar sobre a sua vida, eliminando os desregramentos até então praticados. A enfermidade, longe de ser um problema para ela, será transformada em solução definitiva na revisão dos valores sagrados do espírito.

Ao desembarcar, agradeci pelos esclarecimentos e dirigi-me aos meus aposentos tendo muito material para meditar sobre a minha própria vida.

32
REDENÇÃO

Passadas algumas semanas em que estive completamente envolvido com o meu trabalho na faxina e com os estudos do Evangelho à noite, fui chamado pelo doutor Valentin em seu consultório, que se encontrava acompanhado pela doutora Margarida.

Após as respeitáveis saudações, o facultativo pediu que nos acomodássemos ao redor de uma pequena mesa de reuniões. Olhando-me com a serenidade daquelas criaturas que já alcançaram a compreensão pelas atitudes dos espíritos necessitados de orientação, ele informou:

— Adalberto, temos acompanhado os seus esforços

diários no trabalho ao qual você espontaneamente se voluntariou; também atentamos para as recomendações dos seus orientadores no curso de Aprendizes do Evangelho, com menções especiais feitas pelo professor Olegário. A sua dedicação e superação diante de soluções consideradas inadiáveis nos surpreendeu a todos positivamente, com destaque aos esforços empreendidos nas questões relativas ao exercício do perdão.

Contudo o objetivo dessa nossa reunião não é somente o reconhecimento das conquistas realizadas até o momento, mas também a resposta ao seu pedido referente à futura e breve oportunidade de reencarnação.

– Desculpe interromper, doutor. Ela foi aceita?

– A resposta é sim, em estágios diferenciados, pelos menos para as duas próximas existências.

– Estágios diferenciados, doutor? O senhor pode ser mais específico?

– Sem dúvida! Os nossos coordenadores, cujo nível de conhecimento na busca de soluções para os nossos desvios é muito apurado, apontaram que o melhor seria uma primeira existência de recomposição perispirítica.

– Sim... – assenti intrigado.

– Os reportes apresentados por nossa unidade demonstram as agressões registradas em seu perispírito quando do seu resgate. Apesar de você receber a terapia adequada em nosso hospital, continuam energeticamente acumuladas no seu corpo mental, na sua consciência, demandando a eliminação, pelo menos em parte, através da organização fisiológica que você envergará na próxima existência.

Portanto, a sua disposição em querer reencarnar com as deficiências mais complexas de natureza mental, bloqueadoras da maioria das suas expressões no corpo físico, foi decisiva para que as agressões sejam minimizadas em parte, e isso em função das análises realizadas pelos nossos superiores. Assim, algumas limitações de fato estarão presentes desde o seu nascimento, relacionadas a deficiências respiratórias e de fala, pelo uso abusivo de alcóolicos e de drogas diversas, além de alguns resquícios do seu envenenamento.

A dificuldade de locomoção também se apresentará desde o berço, com a paralisia dos membros inferiores, exigindo grande sacrifício inicial por parte da sua mãe e, posteriormente, por você, em virtude das condições financeiras extremamente precárias no vilarejo onde ambos renascerão.

– Até onde eu havia solicitado, parece-me que o programa reencarnatório não se alterou significativamente, doutor.

– Creio que sim. Em suas anotações, foi mencionada a questão da longevidade da sua reencarnação, o que não ocorrerá, por tratar-se de uma breve terapia de choque para você no corpo físico, que deverá reduzir significativamente os entraves para a reencarnação seguinte. Esta, aliás, será em região semelhante, onde parte dos seus desafetos estará também reencarnada. A sua função principal será a de professor, utilizando dos seus excelentes recursos de oratória, que um dia, infelizmente, foram motivo de queda e de sofrimento para você.

Então, a próxima existência será de quinze anos

aproximadamente, com desencarne natural. Já a seguinte será como professor e trabalhador voluntário na igreja da cidade próxima à sua moradia, tendo você a bênção de atender aos órfãos da região, em parte, aqueles irmãos que sofreram diretamente com as suas atitudes inexperientes em relação aos semelhantes.

– Mas, doutor, foram tantos os que eu prejudiquei com o cargo que ocupava...

– Meu caro, as leis soberanas do nosso Criador são educadoras e não punidoras. Com o trabalho em favor dos muitos que serão seus educandos, diante da contabilidade divina que faz parte da nossa consciência, será saldada uma infinidade de desequilíbrios levados para muitas daquelas almas ainda imaturas diante dos objetivos da vida. Essas mesmas pessoas não somente serão educadas pelo seu esforço constante, como também serão educadoras através do seu exemplo dignificante.

– Nada é perdido ou acontece por acaso no amor de Deus, não, doutor?

– Como simples exemplo, Adalberto, pensemos nos menores movimentos de um pequeno pássaro no ar. Se observado pela lente do amor, esse pássaro poderá nos mostrar as maravilhas de Deus ao nos presentear com uma vida mais colorida e estimulante. Um dia, certamente, poderemos ser, simbolicamente, tão livres em espírito quanto eles.

– O que deverei fazer de agora em diante para me preparar adequadamente?

– A doutora Margarida continuará prestando a orientação e a assistência adequadas ao seu caso.

A médica, que se mantinha atenta até aquele momento, falou:

– Sua preparação será de dez anos aproximadamente, quando os estudos poderão ser intensificados e o trabalho ao qual você se candidatou não sofrerá qualquer obstrução de continuidade, por ser de extrema importância no exercício da disciplina e da valorização das tarefas a serem apresentadas, sejam elas quais forem, uma vez que a atividade regular nos proporciona equilíbrio adequado.

– Mente ocupada no bem é isenta de tentações! – falei procurando descontrair.

– Exato, Adalberto! Você tem hoje noção de valor sobre as nossas propostas evolutivas. Bem, dando continuidade, você será recebido, na primeira oportunidade, por Luana, que se candidatou como sua genitora, resgatando, dessa maneira, os deslizes cometidos não só com você, mas também outros eventos com os quais ela se envolveu. Seu pai, na próxima existência, desencarnará logo, por falta de recursos para acudi-lo na enfermidade da qual será acometido. Mas trata-se de um dos seus parentes longínquos, sendo amigo de longa data. Ele foi, nesta sua última existência, o bisavô materno que você não teve a oportunidade de conhecer.

– Apenas uma pergunta, doutora: Luana ainda se encontra encarnada?

– Sim, contudo, por período breve. Temos mantido contato diário com a nossa irmã quando do seu desdobramento natural pelo sono. Nessas ocasiões, além da assistência prestada, ela faz planos de reparação e de revisão dos seus processos, aceitando de muito bom grado a missão que lhe foi sugerida.

– Posso saber um pouco mais, doutora?

– Se estivermos de posse das informações, é claro que pode!

– Para a minha experiência como professor, ainda apresentarei algumas deficiências relativas aos excessos cometidos?

– Um pouco minimizadas, mas, dada a profundidade em que foram implementadas, as energias acumuladas não serão totalmente extraídas do corpo sutil nesta existência que estará por começar daqui a dez anos. Porém, as mencionadas deficiências funcionarão como verdadeiras placas intuitivas de aviso, servindo para alertá-lo em relação a quaisquer eventualidades que venham ainda querer movimentar as tendências que fazem parte do seu conjunto psíquico.

– Aí se encontra a resignação, não é assim, doutora?

– Perfeitamente. Lutamos para reduzir ou eliminar os desconfortos, quando possível. Contudo, eles são lições vivas, se aproveitados pela meditação, com questionamentos pessoais simples do tipo "por que esta enfermidade ou bloqueio existe em minha vida?". As respostas surgirão rapidamente, já que se encontram no nosso íntimo. Elas nos mostrarão onde necessitamos nos corrigir.

– E quanto à minha futura e provável existência como professor? Luana se candidatou a ser novamente minha mãe?

– Nesse particular, não será possível, porque, entre

uma existência corpórea e outra, o período em nossa dimensão será curto para você. Mas não se preocupe, porque os candidatos que se propuseram são aqueles mesmos pais da sua última existência. A família estará unida outra vez, inclusive Amanda e o seu filho, para a redenção necessária.

Naquele momento não consegui conter mais as lágrimas, com reconhecimento sincero do amor voltado por aqueles que um dia eu havia desprezado e que novamente se sacrificariam por mim, com o objetivo único do trabalho pela minha felicidade, enfrentando todas as vicissitudes materiais por muito me amarem.

Extremamente feliz pela nova oportunidade, elevei os meus pensamentos em gratidão a Deus. Em seguida, procurando controlar os meus soluços, dirigi-me aos dois facultativos à minha frente, aquelas duas almas que eu aprendera a respeitar e a amar. Em palavras simples, por ser ainda um espírito cuja evolução diante da grandeza deles era pífia, revelei o que eu tinha de mais puro no meu coração:

– Não sei como agradecer, porque, de mim, nada tenho. Mas, se um dia eu puder fazer por merecer algo de Deus, pedirei que o Senhor transfira a vocês as bênçãos a mim dedicadas, uma vez que me auxiliaram na mudança de rumo apresentando-me Jesus.

– Adalberto, meu irmão. Já recebemos muito pelo pouco que fazemos. Não se preocupe em nos agradecer, porque a maior gratidão para todos nós está em sermos simples operários de Cristo. Conforme foi ensinado por Ele há mais de dois mil anos: "Meu Pai trabalha até agora e Eu trabalho também." Então, vamos trabalhar! – convidou o facultativo.

Ao me despedir dos queridos mentores, fui até um dos jardins do complexo e, olhando para dois pequenos pássaros que pareciam brincar naquele final de tarde, recordei-me de uma das frases do doutor Valentin. Procurei respirar em longos haustos e me dirigi a Deus pedindo:

– Senhor, que um dia eu possa ser conscientemente tão liberto como essas duas criaturinhas, que são também minhas irmãs, diante do Seu imensurável amor!

FIM

Esta edição foi impressa nas gráficas da Assahi Gráfica e Editora, de São Bernardo do Campo, SP, sendo tiradas três mil cópias, todas em formato fechado 140x210mm e com mancha de 93x163mm. Os papéis utilizados foram o ofsete Chambril Book (International Paper) 90g/m² para o miolo e o cartão Supremo Alta Alvura (Suzano) 300g/m² para a capa. O texto foi composto em Goudy Old Style 12/15 e o título em Bodoni BE 26/30. Cássia Anselmo e Gisele Montilha realizaram a revisão do texto. André Stenico elaborou a programação visual da capa e o projeto gráfico do miolo.

Agosto de 2017